NAPOLEON HILL

ESTRADA PARA O SUCESSO

Título original: *Road to Success*

Copyright © 2011 by Napoleon Hill / The Napoleon Hill Foundation

Estrada para o sucesso
1ª edição: Outubro 2022

Direitos reservados desta edição: CDG Edições e Publicações

O conteúdo desta obra é de total responsabilidade do autor
e não reflete necessariamente a opinião da editora.

Autor:
Napoleon Hill
Fundação Napoleon Hill

Tradução:
Karina Gercke

Preparação de texto:
3GB Consulting

Revisão:
Debora Capella
Lays Sabonaro

Projeto gráfico e capa:
Jéssica Wendy

DADOS INTERNACIONAIS DE CATALOGAÇÃO NA PUBLICAÇÃO (CIP)

Hill, Napoleon.
Estrada para o sucesso / Napoleon Hill ; direção de Don Green ; diretor executivo de Fundação Napoleon Hill ; tradução de Karina Gercke. — Porto Alegre : Citadel, 2022.
240 p.

ISBN 978-65-5047-186-6
Título original: Road to success

1. Autoajuda 2. Sucesso 3. Desenvolvimento pessoal I. Título II. Green, Don III. Fundação Napoleon Hill IV. Gercke, Karina

22-5391 CDD - 158.1

Angélica Ilacqua - Bibliotecária - CRB-8/7057

Produção editorial e distribuição:

contato@citadel.com.br
www.citadel.com.br

NAPOLEON HILL

ESTRADA PARA O SUCESSO

Introdução:
Don Green

Tradução:
Karina Gercke

2022

Sumário

Introdução

por DON GREEN

Diretor-executivo – Fundação Napoleon Hill

Você já se perguntou por que o sucesso é possível para algumas pessoas e parece virar as costas para outras? Essa foi uma pergunta que Napoleon Hill se fez desde muito cedo, e passou a vida buscando a resposta para a velha questão. De uma maneira que ninguém nunca tinha feito antes, Hill procurou esclarecer o porquê de algumas pessoas serem bem-sucedidas e outras, milhões delas, não serem.

Oliver Napoleon Hill nasceu em 1883, nas remotas montanhas do sudoeste da Virgínia. Parecia não haver nada especial em sua juventude que pudesse prever que Hill seria um sucesso. Nascido em uma cabana rústica de madeira, certa vez ele disse: "Por três gerações minha família apenas nasceu, viveu, lutou na ignorância e na pobreza e morreu sem nunca ter saído das montanhas da região".

A vida era muito primitiva quando comparada à das grandes cidades do leste. A expectativa de vida era baixa, e a taxa de mortalidade, alta. Muitos camponeses nativos sofriam de problemas crônicos de saúde que frequentemente eram causados por uma alimentação inadequada.

Sem qualquer perspectiva aparente de alcançar sucesso, por menor que fosse, aos dez anos de idade Hill perdeu a mãe, que tinha apenas 26 quando morreu. Um ano depois, o pai de Napoleon se casou novamente, o que foi um divisor de águas, um momento decisivo na vida do menino. A madrasta de Napoleon, Martha Ramey Banner, era uma mulher culta, viúva de um diretor de escola secundária e filha de um médico. A nova figura materna de Hill viu um potencial no garoto que ninguém mais parecia apreciar. Em tenra idade, a pistola foi trocada por uma máquina de escrever, e a madrasta de Napoleon lhe ensinou como usá-la. A máquina de escrever foi usada por Hill para datilografar artigos para jornais aos quinze anos e provou ter um valor inestimável ao longo de sua vida.

As escolas estavam em estado crítico, com exceção das localizadas nas principais vilas e grandes cidades de todo o estado. Na região montanhosa, as escolas primárias abriam apenas por cerca de quatro meses por ano, e não era exigida frequência.

As escolas secundárias eram raras, com apenas aproximadamente cem delas em todo o estado, e a maioria oferecia só dois ou três anos letivos. Vinte anos após o nascimento de Hill, havia somente dez opções de ensino secundário com duração de quatro anos em toda a Virgínia. Seria notável ser capaz de fugir de tal cenário, se tornar um sucesso e influenciar milhões de pessoas em todas as partes do mundo.

Com frequência Hill se referia à sua infância e juventude em seus artigos, livros e discursos. Suas recordações de cada uma das memórias de infância eram, em sua maioria, negativas, e não é de admirar que muitas vezes Hill mencionasse sua ascensão triunfal, da pobreza à riqueza, ao longo de quase toda a carreira.

Ao concluir o ensino médio em Wise, Virgínia – com duração de dois anos –, Hill começou a se ver como executivo. Ao entrar em uma faculdade de Administração na vizinha Tazewell, ele optou por cursos que o preparassem para o trabalho de secretário, o que o ajudaria a se aprimorar para o mundo dos negócios.

Hill decidiu se candidatar a um emprego com um dos homens mais bem-sucedidos que viviam nas montanhas do sudoeste da Virgínia. Hill diz que se ofereceu para trabalhar pagando ao empregador durante um período de experiência.

O general Rufus Ayres, uma das pessoas mais ricas e bem-sucedidas do local, seria o novo empregador de Napoleon. É fácil entender o porquê de Napoleon Hill, com seu histórico e passado envoltos em pobreza e ignorância, querer trabalhar para o general Ayres.

Depois que Hill concluiu o curso de Administração, ele escreveu para Ayres:

> "Eu acabo de concluir o curso de Administração de Empresas e estou bem qualificado para atuar como seu assistente, cargo que espero ocupar.
>
> Como não tenho experiência anterior, sei que trabalhar para você no início será mais valioso para mim do que para você. Portanto, estou disposto a pagar por esse privilégio.
>
> Você pode cobrar qualquer valor que considerar justo, desde que esse valor seja o meu salário após três meses. O valor que eu devo pagar a você pode ser deduzido do valor que me pagar quando eu começar a ganhar dinheiro."

Ayres contratou o jovem Napoleon, que chegou cedo, ficou até tarde e trabalhou – disposto a "dar o melhor de si mesmo" para render além do que o salário poderia pagar. Ir além, dar o melhor de si mesmo, se tornaria um dos princípios de Hill para o sucesso.

Ayres tinha a experiência, o conhecimento prático que serviria muito bem a Hill quando ele começou seu estudo sobre pessoas bem-sucedidas e o que as levou ao sucesso. Quando jovem, Ayres serviu no Exército Confederado durante a Guerra Civil. Após a guerra, trabalhou em uma loja de varejo e estudou Direito, tornando-se um advogado muito próspero, trabalhando como procurador-geral da Promotoria do estado da Virgínia. Homem de negócios de sucesso, ele ajudou a administrar bancos, operar minas de carvão e outros empreendimentos. Foi por influência de Ayres que Hill teve a ideia de frequentar a faculdade de Direito para se tornar advogado.

Hill convenceu seu irmão, Vivian, de que, uma vez aceito na Universidade de Georgetown, poderia usar sua paixão pela escrita e sustentar os dois durante o tempo em que estivesse na faculdade.

As informações reunidas por Hill o levariam a uma vida de textos autorais e palestras falando sobre suas descobertas a respeito de realização pessoal. Suas descobertas produziram os fundamentos para os oito volumes da obra *A lei do triunfo* (*Law of Success*), publicada em 1928, e para *Quem pensa enriquece*, publicado em 1937, livro de autoajuda mais vendido de todos os tempos.

O livro que você está prestes a ler lhe apresentará um valioso conteúdo sobre o sucesso escrito anteriormente à publicação do primeiro livro de Hill. Lembre-se de que Hill entrevistou Andrew Carnegie em 1908, vinte anos antes de publicar seu primeiro livro.

Durante esse período de vinte anos, Hill estava escrevendo, palestrando, dando aulas sobre os fundamentos, os princípios, e publicando sua própria revista. Ele publicou a *Napoleon Hill's Magazine* e a *Napoleon Hill's Golden Rule Magazine.* Os artigos dessas revistas compõem o livro que você está segurando e oferecem uma visão valiosa de alguns dos primeiros escritos de Hill; tanto faz se você é um assíduo leitor das famosas obras de Hill ou se esta é a primeira vez que lê os textos dele, pois, de qualquer modo, terá acesso a importantes percepções que o ajudarão em sua vida.

Hill conseguiu um emprego na *Bob Taylor's Magazine.* O ano era 1908, e um trabalho o enviou a Nova York para entrevistar Andrew

Carnegie em sua mansão de 64 cômodos. Carnegie chegara aos Estados Unidos ainda jovem e com pouca escolaridade. Por meio de bastante trabalho e investimentos, tornou-se milionário muito jovem. Como fundador da Companhia de Aço Carnegie, ele estava com 74 anos quando Hill o entrevistou. Carnegie havia doado 350 milhões de dólares da venda da Companhia de Aço Carnegie até o momento de sua morte, em 1919.

Carnegie falou a Hill sobre os princípios da realização pessoal. Antes que a conversa terminasse, desafiou-o a entrevistar e estudar a vida de pessoas bem-sucedidas, grandes líderes. Por fim, Hill compilou suas descobertas em um conjunto de princípios, para que outras pessoas pudessem ser ajudadas e ajudassem a si mesmas a realizar seus sonhos.

Carnegie providenciou que Hill fosse apresentado aos grandes nomes da época, como John D. Rockefeller, Thomas Edison, Henry Ford, George Eastman e outros. Você vai descobrir por que o trabalho de Hill é o mais popular em todo o mundo e por que influenciou o atual movimento de autoajuda e desenvolvimento pessoal como nenhum outro na história.

Prefácio

por Fundação Napoleon Hill

Era 1908 quando o jovem escritor Napoleon Hill entrevistou Andrew Carnegie, fundador da Companhia de Aço Carnegie, e aceitou a sua proposta de estudar pessoas bem-sucedidas. Carnegie disse a Hill que "uma filosofia do sucesso ajudaria outras pessoas a tornarem-se bem-sucedidas". Hill aceitou com satisfação a tarefa, que duraria vinte anos, de desenvolver e ensinar a filosofia do sucesso. Ele observou, em uma de suas palestras, que, quando Carnegie falou sobre filosofia do sucesso, ele foi a uma biblioteca para descobrir o que significava a palavra FILOSOFIA.

Enquanto vivia em Washington, D.C., em 1910, ele recebeu a missão de viajar até Detroit para entrevistar Henry Ford, fundador da Ford Motor Company, precursor da produção em massa e responsável por tornar o carro Ford acessível para a classe trabalhadora.

Enquanto Hill convencia Ford sobre a entrevista, este outro, por sua vez, estava ocupado convencendo Hill sobre os automóveis Ford. Hill estava tão impressionado com o carro que até comprou um Ford, por US$ 575, para voltar dirigindo para casa; o dinheiro provavelmente veio de sua jovem esposa, cujos pais ricos, da Virgínia Ocidental, deram a ela um dote pelo casamento.

Após retornar de sua entrevista para Washington, Hill fundou o Automobile College of Washington, para ensinar as pessoas como vender carros.

Ao longo da vida, Hill teve paixão por automóveis. Por crescer em uma área rural onde poucas pessoas podiam comprar um carro, para Hill, e para a maioria das pessoas, o automóvel era claramente um sinal de riqueza. Quando seus primeiros livros foram publicados, ele pagou 25 mil dólares por um Rolls Royce, o que era uma grande quantia de dinheiro na época.

Fascinado pelos automóveis e com o desejo de ser escritor, o qual surgiu quando Hill ainda era adolescente, parecia natural usar os automóveis nos artigos que escrevia.

Na biografia de Hill, *Uma vida rica: a biografia de Napoleon Hill* (*A Lifetime of Riches*), o autor escreveu: "Como milhões de outros americanos nascidos em meio a recursos modestos ou escassos", Hill estava destinado a admirar pessoas como Thomas Edison, o inventor da lâmpada, do fonógrafo e de tantas outras coisas; Andrew Carnegie, que, com pouca educação formal, como Edison, fundou a Companhia de Aço Carnegie; Henry Ford, fundador da Ford Motor Company; e dezenas de outros homens que vieram do nada e venceram por esforço próprio, com uma paixão que beirava a devoção. Ele seria consumido pelo interesse sobre as pessoas que têm sucesso, prosperam, enquanto outras fracassam. Hill imaginava o encontro com esses vencedores e muitos outros, para captar a sabedoria que resultava nas incríveis realizações deles.

No entanto, ao contrário da maioria dos outros entusiastas, Napoleon Hill estava destinado a realizar os seus sonhos. Ele não apenas conheceria e impressionaria os maiores empreendedores dos Estados Unidos, como também passaria toda a vida reunindo o segredo deles para o sucesso – e o divulgaria ao mundo.

Ele escreveu uma série de quinze artigos que intitulou *Billboards on the Road to Success* (algo como recomendações, painéis, ou avisos na estrada para o sucesso). Os artigos em *Napoleon Hill – Estrada para o sucesso* estão exatamente como Hill os datilografou em sua velha máquina de escrever. Escritos há mais de noventa anos, são tão relevantes hoje quanto eram na época em que foram escritos.

1

A estrada para o sucesso

15 Recomendações

Recomendação 1

Desejo como objetivo principal na vida

Você quer ter sucesso na vida!

Você quer uma casa e um pequeno "pé de meia" guardado no banco. Talvez você queira um automóvel simples e outras conveniências para se divertir quando não estiver trabalhando.

Você terá tudo isso e até mesmo muito mais se percorrer a Estrada para o Sucesso conforme indicado nesta e em outras mensagens que virão a seguir.

A Estrada para o Sucesso já foi descoberta. Ela foi inspecionada, e placas com recomendações já foram colocadas ao longo do caminho. Essas placas, ou painéis, indicam exatamente o que você deve fazer. Existem quinze dessas placas, e, se você ler essas mensagens e fizer o que elas recomendam, nada poderá impedi-lo de ter sucesso.

Essas quinze placas, essas quinze recomendações, foram pensadas por um homem que agora é muito bem-sucedido. Ele tem sua própria casa. Ele tem o próprio automóvel. Tem uma conta bancária satisfatória. Ele tem esposa e vários filhos felizes. Também é próspero e feliz. Ele não tinha ninguém para ajudá-lo nem nenhuma vantagem se comparado a você, pois começou como um humilde trabalhador em minas de carvão há não muito tempo.

Esse homem teve sucesso, assim como você pode ter sucesso agora, seguindo estas quinze recomendações nas placas ao longo da Estrada para o Sucesso. A primeira dessas recomendações é:

Um objetivo principal na vida!

Antes que o sol se ponha novamente, você deve decidir qual será o seu *objetivo principal na vida*. Depois de decidir, você deve escrevê-lo, em palavras claras e simples. Deixando-o de um modo tão claro que qualquer pessoa entenda o que é após ler a sua descrição.

Observe como você pode descrever o seu objetivo principal:

Por exemplo, suponha que o seu objetivo seja ser dono de uma casa, de um automóvel, de uma boa conta bancária, e ter renda suficiente para lhe proporcionar tempo para descanso e prazer; você poderia expressar o seu objetivo por escrito, nestas palavras:

> "Meu objetivo principal na vida é ter uma casa, um automóvel e uma bela conta bancária, e ter uma renda suficiente para me proporcionar tempo para descanso, lazer e prazer. *Em troca desses prazeres da vida, prestarei o melhor serviço de modo espontâneo e irei me comportar de forma que quem estiver pagando pelos meus serviços fique satisfeito com o que eu fizer. Para ter certeza de que o meu empregador estará sempre satisfeito com os meus serviços, sempre me esforçarei para entregar o melhor de mim, independentemente da remuneração que recebo, pois meu bom senso me diz que esse hábito me tornará um profissional diferenciado, desejado e trará até mim o melhor valor pago por esse tipo de serviço que estou prestando. Assinarei meu nome para firmar o compromisso com esse objetivo e farei a leitura desta declaração todas as noites antes de dormir, por doze noites consecutivas.*
>
> (Assinatura) ____________________________

Os psicólogos afirmam que qualquer pessoa que escrever uma declaração de objetivo principal com palavras semelhantes às anteriores e seguir fielmente o hábito de lê-la todas as noites, por doze noites consecutivas, pouco antes de dormir, certamente verá o seu objetivo ser atingido.

Lembre-se de que esse objetivo principal é o primeiro passo na Estrada para o Sucesso, e lembre-se também de que o homem que pensou e definiu essas recomendações começou em um trabalho muito humilde, como operário em minas de carvão, praticamente sem estudo, e rapidamente alcançou o sucesso. Você pode fazer o mesmo se seguir as recomendações nestas mensagens.

A partir do dia em que você declarar por escrito o seu objetivo principal, notará que as coisas começarão a surgir no seu caminho. Vai perceber que os seus colegas de trabalho terão mais consideração por você. Vai observar que o seu chefe notará o seu trabalho e o cumprimentará com um sorriso como você nunca viu antes. Forças ocultas virão em seu auxílio, e você começará a avançar para o sucesso como se um exército de pessoas amigáveis estivesse, secretamente, seguindo os seus passos e o ajudando em tudo o que fizer.

Você também perceberá que se tornará mais amigável com seus colegas de trabalho e com o seu chefe. Irá se tornar mais paciente com todos os seus amigos, e eles começarão a gostar cada vez mais de você; até que, finalmente, você não terá mais inimigos. Todos começarão a ser mais amigáveis e gentis com você, e esses amigos o ajudarão a alcançar o sucesso.

Essa é uma afirmação de quem experimentou traçar objetivos e descobriu que funcionou!

Não duvide de que isso também funcionará com você. Siga as instruções apresentadas neste e nos artigos seguintes, e um ano depois de este texto chegar às suas mãos, quem o conhece vai ficar maravilhado com a sua nova personalidade, e você irá se reconhecer como uma pessoa cativante, atraente, de quem todos irão gostar. Também vai perceber que as pessoas que o conhece deixarão o caminho livre para que as oportunidades cheguem até você só porque gostam de você.

Seu mundo é determinado por seu desejo dominante

Esse é o segredo escondido que, inconscientemente, determina o seu foco. "Porque, como imaginou no seu coração, assim é ele." Observe o trecho "no seu coração" ou, como Hamlet uma vez disse: "Coração dos corações". Os hebreus, que nas escrituras usaram a palavra "coração" como símbolo da natureza emocional do homem, eram totalmente ignorantes sobre psicologia moderna, mas, ainda assim, como John Herman Randall aponta no livro *Culture of Personality,* eles compreenderam a grande verdade psicológica de que todo pensamento surge de sentimentos ou emoções puros. A personalidade considerada como a unidade autoconsciente da razão, do afeto e da vontade, se autoexpressa em um processo criativo que começa primeiro em um impulso ou sentimento, passa ao pensamento e se completa em um ato de vontade. Em última análise, o nosso mundo é determinado por nossos desejos dominantes. Personalidade é o desenvolvimento do desejo.

Dessa forma, o desejo dominante de um homem torna-se o Universo pulsante de sua personalidade. Ou, para simplificar; um homem se transforma conforme seu desejo dominante. Todos os homens oferecem uma prece na intenção do desejo. O desejo dominante do filho pródigo era: "Dá-me a parte que me cabe". Peary disse que por 24 anos, dormindo ou acordado, o único sonho e propósito de sua vida era encontrar o Polo Norte. Edison e a lâmpada, Stevenson e a locomotiva, Fulton e o barco a vapor, Napoleão e o domínio da Europa,

Joana d'Arc e a salvação da França, Paulo e a propagação do cristianismo foram os resultados do desejo dominante e absoluto. Tanto faz as preces serem sinceras ou não, pois a prece é um bumerangue. Isso nos alerta para manter o desejo dominante puro e altruísta, em sintonia com a vontade de Deus.

Conheça os principais desejos de um homem e você consegue lançar uma série de previsões sobre o que ele pode vir a ser. Mostre-me as fotos que um homem pendura nas paredes, os livros que ele tem em sua biblioteca, os filmes a que ele vai assistir, o tipo de amigos que ele reúne em torno de sua lareira –, e direi a você o tipo de preces que ele faz, por essas criações de sua imaginação, pelo tipo de coisas que ele leva em seu coração, o tipo de conversa que ele mantém em seus sonhos, os pensamentos que estão controlando seu subconsciente.

Se o seu mundo é determinado pelo seu desejo dominante, a única maneira de criar um mundo agradável é pensar, como diria Ralph Waldo Trine: "Em sintonia com o Infinito"; pensar como disse o grande Kepler: "Pensar os pensamentos de Deus depois dele"; pensar, como o próprio Mestre colocou em Harmonia com a Vontade Divina: "Seja feita a tua vontade".

Só existe uma maneira de fazer isso. Você deve praticar a presença de Deus. O Mestre apontou nesse sentido quando nos deu o preceito: "Vá para o seu quarto, feche a porta e ore em silêncio". O psicólogo em todas as atitudes práticas. O psicólogo e o místico concordam sobre o método para induzir o momento subjetivo para se conectar ao trono de Deus. Nós somos não apenas o que pensamos e sentimos em nossos corações, mas também o que pedimos em nossos corações. A prece nos coloca em contato com a consciência universal, a energia mística do amor de todos os seres, o Deus eterno, nosso Pai Celestial.

Precisamos constantemente nos colocar na Presença Divina. Precisamos pensar menos na prece como um pedido e mais como Comunhão, Criação e Realização. A prece, por si mesma, é o maior bem que um homem tem. Não é que o seu filho precise dizer: "Agora me deito para dormir", com medo de que Deus o esqueça ou deixe de zelar por ele durante a noite. Você ensina o seu filho a dizer em oração "Agora me deito para dormir" para que aprenda o caminho da prece a Deus e chegue à vida adulta apto a identificar desejos dominantes e absolutos com Deus. Isso funciona. O Reverendo James Higgins me disse que até os seus 21 anos ele nunca tinha visto uma Bíblia, nunca tinha ido a uma igreja ou escutado uma oração exceto "Agora me deito" e "Pai Nosso", que ele aprendeu no colo de sua mãe e orou por todas as noites e manhãs de sua vida, desde que se lembra. A primeira pregação que ouviu resultou em sua conversão e posterior consagração ao Ministério Cristão. Um estudante do Springfield College me disse: "As palestras da Sra. McCollum sobre Psicologia Aplicada me permitiram perceber que a religião da minha mãe era científica, e isso me emociona". É uma mãe sábia que ensina seu filho a orar.

A prece, então – a verdadeira prece – é o desejo dominante voltado para Deus, e nós somos o que nossas orações fazem de nós.

"A prece é o desejo sincero da alma
Proferida ou velada
O movimento de um fogo oculto
Que crepita no peito."

Coloque sua vida de oração em prática, não para que Deus faça algum milagre por você, mas para lhe dar energia criativa, para que você possa realizar os milagres e a glória de uma humanidade melhor.

Peça a Deus todas as manhãs saúde, felicidade e sucesso na sua tarefa. Vá em frente consciente do seu regozijo. Espere realização.

Não aceite nada menos. O espírito divino pode fazer o que é divino. A concentração e a prece se tornam o seu maior bem na formação de uma personalidade apta ao serviço.

O poema de Clinton Scollard coloca isso em detalhes.

"Vamos dedicar algumas horas de cada dia
Para coisas sagradas – seja ao amanhecer
Espia pela vidraça, seja quando a Lua
Brilhar como um topázio polido na abóboda,
Ou quando o sabiá derramar nos ouvidos do entardecer
Sua melodia melancólica; apenas algumas horas
Nas quais manter conversas extasiadas com a alma
Aparta a sordidez e o ego do santuário
Varrido pelo bater de asas invisíveis
E tocado pela Luz Branca Inefável."

* * *

Há cerca de vinte anos, um autor sulista escreveu um livro chamado *Up From Slavery*. O homem que escreveu o livro já se foi, mas sua obra permanece em Tuskegee, Alabama, na forma de um marco que manterá o seu nome vivo por muitas gerações.

O nome do autor é Booker T. Washington.

O marco é a escola profissionalizante que ele fundou para as pessoas de sua raça; uma escola que ensina aos seus alunos a honra e a glória de aprender a trabalhar.

Este escritor acaba de ler *Up From Slavery* pela primeira vez, graças ao Sr. Lincoln Tyler, um eminente advogado de Nova York.

Senti-me envergonhado por não ter lido há muitos anos, porque é um livro que todo jovem, homem ou mulher, deve ler muito cedo.

Se, de vez em quando, você ficar sem esperança, vá à biblioteca e leia esse livro. Ele vai lhe mostrar a verdadeira causa da sua falta de esperança.

Booker T. Washington nasceu escravo. Ele nem sabia quem era o seu pai. Depois que os escravos foram libertados, ele sentiu um forte *desejo* de estudar. A palavra *desejo* está impressa em itálico porque tem um significado importante quando usada nesse caso em particular.

Washington ouviu falar de uma escola para negros em Hampton, Virgínia. Sem dinheiro para pagar pelo curso ou pelas despesas da viagem, ele saiu de sua pequena casa de madeira na Virgínia Ocidental e foi a pé até Hampton.

Em Richmond, Virgínia, parou por alguns dias para trabalhar como operário em um barco que estava sendo descarregado. O seu "teto" era uma passarela de tábuas, e sua cama era a fria mãe Terra. Ele economizou cada centavo que recebia de seu trabalho no barco, com exceção de alguns centavos por dia que gastava com alimentos de má qualidade. Durante toda a noite, podia ouvir o barulho dos passos na passarela acima dele, então é possível imaginar que seus aposentos não eram nada agradáveis.

Mas ele tinha um *desejo* muito forte de estudar, e, quando os homens têm esse tipo de desejo por qualquer coisa, não importa qual seja a cor da pele ou o tamanho da carteira deles, geralmente conseguem o que querem antes de desistir.

Quando o trabalho no barco foi concluído, Washington, mais uma vez, voltou-se em direção a Hampton. Chegando lá, ele tinha apenas cinquenta centavos. Eles o observaram, ouviram a sua história, mas não indicaram se poderia ou não ser aceito como aluno.

Por fim, a mulher responsável pela escola deu a ele um exame de admissão. Era bem diferente de um teste de Harvard, ou Princeton, ou Yale, mas, mesmo assim, era um teste. Ela pediu que ele entrasse e limpasse determinado cômodo.

Washington assumiu a tarefa com a determinação de fazer um bom trabalho, pois tinha o forte *desejo* de entrar naquela escola. Ele varreu a sala quatro vezes. Em seguida, verificou cada centímetro, quatro vezes, com um pano de limpeza.

A mulher veio inspecionar o trabalho. Ela pegou seu lenço e procurou um grão de poeira, mas a busca foi em vão. Nenhuma poeira foi encontrada. Ela disse ao jovem negro: "Acho que você serve para ser admitido nesta escola".

Antes de Booker T. Washington morrer, ele havia se elevado a tal posição de honra que lhe permitia acesso aos mesmos lugares que reis e governantes. Ele não buscou nenhum prestígio. Ele não almejava "direitos iguais" de natureza social com os brancos.

Como palestrante, cativou seu público. Seu estilo era simples. Ele não usava palavras complicadas. Ele não blefava. Sempre agiu naturalmente. Sua maneira simples, direta e descomplicada conquistou um lugar para ele nos corações do seu povo e nos das pessoas brancas dos Estados Unidos e de muitos outros países. Eis uma lição para todos que buscam glória e honra em qualquer atividade na vida.

Washington ensinou seu povo a dedicar mais tempo para aprender a colocar tijolos, construir casas e cultivar algodão do que a estudar línguas mortas ou literaturas. Ele entendeu o verdadeiro significado da palavra "educar". Sabia que educação significa desenvolver de dentro para fora; aprender a prestar um serviço necessário; aprender como obter tudo o que é necessário sem interferir nos direitos dos outros.

Tuskegee, no Alabama, é agora uma das cidades mais desenvolvidas do país. É conhecida, não só nos Estados Unidos, mas também em praticamente todo o mundo, pelas conquistas da escola que

Washington fundou. O local onde está a escola, por si só, constitui uma cidade esplêndida.

Booker T. Washington fez uma declaração, no livro *Up From Slavery*, que se destacou como um brilhante paradigma na mente deste escritor. Ele disse que o sucesso de um homem deve ser julgado não pelo que ele alcançou, mas pelos "obstáculos que superou".

E como isso é verdade. Conheci uma família, aqui na cidade de Nova York, que possui muitos milhões de dólares colocados na melhor propriedade da cidade, mas nenhum membro daquela família fez alguma coisa para ganhar um centavo desse dinheiro. Os membros da família são considerados "bem-sucedidos".

Booker T. Washington, começando como escravo que nunca teve roupas suficientes para cobrir o corpo até ser um jovem rapaz, superou obstáculos que a maioria de nós não conseguiria superar, pois desistiríamos antes. Ele lutou enfrentando dois obstáculos extraordinariamente difíceis – preconceito racial e pobreza.

No entanto, apesar de todas essas desvantagens, conquistou um lugar para si mesmo e para sua raça que muitos outros, com menos obstáculos, poderiam invejar.

Ele estava certo! Não é o que um homem possui em termos de riqueza material que conta; é o que ele supera ao longo de um caminho de obstáculos.

Leia o livro de Washington. Leve-o com você para algum canto sossegado e reflita um pouco enquanto lê. Compare os obstáculos de Washington com alguns dos seus, passados ou presentes, que considerou intransponíveis. A leitura desse livro provará ser uma inspiração poderosa para você.

Ler o livro é tanto educativo quanto interessante. Washington faz rir e chorar. Ele conta sobre a sua primeira boina. Por ser pobre demais para comprar uma "boina de loja", sua mãe fez uma para ele com dois pedaços de pano velho. Quando ele apareceu com a boina, as outras crianças negras que tinham "boinas de loja" riram e caçoaram dele. Ele relata, sem nenhum sentimento de satisfação, que nos anos seguintes a maioria daqueles que riram de sua boina foi parar na penitenciária ou ainda não estava fazendo nada para melhorar a si mesmo ou outros negros.

Todos os que fazem da escrita a sua profissão devem ler *Up From Slavery*. Está escrito em um estilo que nos faz saber que nenhum fato está sendo omitido. Washington não tenta poupar a si mesmo ou a sua raça, nem dá destaque ou crédito indevido a qualquer um. A coerência percorre toda a narrativa. A verdade é evidente em todas as páginas. Leia-o.

* * *

Agora é hora de fazer um levantamento das suas experiências anteriores e descobrir o que aprendeu de útil para você e o que ainda deseja realizar, enquanto sua chama está acesa. Faça a si mesmo as seguintes perguntas e persista, seja firme nas respostas:

O que tenho aprendido com minhas falhas e meus erros que será útil para mim no futuro? O que tenho feito para me dar direito a uma posição melhor na vida? O que tenho feito para tornar o mundo um lugar melhor? O que é educação e como posso me instruir? Será que vale a pena revidar, dar o troco naqueles que me feriram? Como posso encontrar felicidade? Como posso ter sucesso? O que é sucesso? Por fim, que conquista principal desejo alcançar antes de, finalmente, "abandonar as armas" com as quais estou lidando e passar ao além? Qual é o meu objetivo principal na vida?

Escreva suas respostas a todas essas perguntas, pense sobre elas antes de escrever. O resultado pode surpreendê-lo, pois essas perguntas, se respondidas com cuidado, farão com que você tenha um pensamento mais construtivo do que o de uma pessoa comum em toda a vida.

Pense muito antes de responder à última pergunta. Descubra o que realmente você deseja na vida. Então, descubra se o que você mais deseja pode lhe trazer felicidade após a conquista.

O único objetivo na vida, que transcende todos os outros, é encontrar a felicidade. Observe-se e verá que, no final, tudo o que você faz leva à busca pela felicidade. Você quer dinheiro para comprar independência e felicidade. Você quer uma casa e luxos para ser feliz.

E, em sua busca por respostas a essas perguntas, certamente você descobrirá que a felicidade – a genuína, que satisfaz e perdura – só vem quando é dada a outras pessoas. Indo por esse caminho, você pode encontrá-la sem dinheiro e sem preço definido. No minuto que você a proporciona a outras pessoas, por meio de um serviço prestativo, você a tem em abundância.

Não seria bom se, em sua decisão quanto ao seu principal objetivo na vida, você incluísse a felicidade?

Em toda mente há um gênio adormecido, esperando o toque suave de um forte desejo para despertá-lo e colocá-lo em ação!

Ouçam, vocês, irmãos carregados de tristeza, que estão tateando pelo caminho que conduz da escuridão do fracasso para a luz da realização – há esperança para vocês.

Não faz diferença quantos sejam os fracassos sofridos ou o quão profunda tenha sido a sua queda, você pode se levantar novamente! A pessoa que disse que as oportunidades nunca batem à porta mais de uma vez estava terrivelmente enganada. Oportunidades batem à porta dia e noite. É claro que elas não dão golpes em sua porta nem tentam arrebentar as vidraças, mas, mesmo assim, elas estão lá.

E se você tiver sofrido derrota após derrota? Cada derrota é apenas uma bênção disfarçada – uma bênção que mitigou sua mente e o preparou para o próximo teste! Se você nunca passou por uma derrota, você é digno de pena, pois perdeu um dos grandes processos naturais e verdadeiros de aprendizagem.

E se você errou no passado? Quem de nós não fez o mesmo? Encontre a pessoa que nunca errou e você também encontrará uma pessoa que nunca fez nada que valha a pena mencionar.

A distância entre o lugar onde você está agora e o lugar onde deseja estar é de apenas um pulo; pegue impulso e salte! Provavelmente você se tornou uma vítima do hábito, da acomodação, e, como muitos outros, encontra-se enredado em um trabalho comum e mediano, para durar uma vida toda. Tenha coragem – há uma saída! Talvez a sorte já tenha passado por você e a escassez o tenha sob suas garras. Tenha coragem – há um caminho para tudo, que você pode seguir com inteligência e para o seu próprio bem, e o mapa desse caminho é tão simples que nós duvidamos seriamente que você fará uso dele. No entanto, se fizer uso dele, com certeza será recompensado.

A Regra de Ouro deveria ser adotada como o lema de todas as empresas e profissionais dos Estados Unidos e impressa como tal em todos os papéis timbrados.

O precursor de todas as realizações humanas é o *desejo!* A mente humana é tão poderosa que pode produzir a riqueza que você deseja, a posição que você cobiça, as amizades de que precisa, as qualidades necessárias para a realização de qualquer coisa, qualquer empreendimento, que valha a pena.

Há uma diferença entre "vontade" e "desejo" no sentido em que estamos aqui nos referindo a ele. Uma vontade é apenas a semente ou a origem da coisa desejada, enquanto o "*desejo*" ardente é a origem da coisa desejada mais o solo fértil necessário, o sol e a chuva para o seu desenvolvimento e crescimento.

Um forte *desejo* é a força misteriosa que desperta aquele gênio adormecido que repousa na mente humana e a coloca para trabalhar a sério. O desejo é a faísca que se transforma em chama na caldeira do esforço humano e gera o vapor com o qual se produz a **ação!**

A vida é feita de um longo enfrentamento de decisões – de decidir prontamente ou deixar a oportunidade passar. Fazer ou deixar de fazer pode nos afetar tanto de forma positiva quanto de forma negativa. O caráter é construído por meio da influência interminável que a cadeia de decisões, que somos chamados a tomar, tem sobre nós enquanto a nossa vida pulsa.

Muitas e variadas são as influências que despertam o *desejo* e o colocam em ação. Às vezes, a morte de um amigo ou parente é o suficiente, enquanto em outras ocasiões os reveses financeiros surtirão o efeito necessário. Decepção, tristeza e adversidades de toda natureza servem para despertar a mente humana e fazer com que ela funcione por meio de outras sintonias. Quando você compreender que o fracasso é apenas uma condição temporária que o desperta para uma ação maior, verá, tão nitidamente quanto pode ver o céu em um dia claro, que o fracasso é uma bênção disfarçada. E, quando você começar a olhar para a adversidade e o fracasso sob essa ótica, começará a ter um incrível poder neste mundo. Você começará a tirar vantagem do fracasso em vez de permitir que ele o arraste para baixo.

Há um dia feliz chegando em sua vida! Ele vai surgir quando você descobrir que tudo o que almeja realizar depende não dos outros, mas de **você!** A chegada desse novo dia será precedida pela descoberta da força do **desejo!**

Comece agora, hoje mesmo, a criar um desejo ardente e irreprimível pela posição que quer alcançar na vida. Torne esse desejo tão pleno e absoluto que preencha a maior parte dos seus pensamentos. Pense nele durante o dia e sonhe com ele à noite. Mantenha a mente focada no seu desejo durante cada momento livre. Escreva em um papel e coloque-o onde você possa vê-lo o tempo todo. Concentre todos os seus esforços na direção da sua realização e veja o resultado! É como se, em resposta ao toque de uma varinha mágica, o seu desejo se tornasse realidade para você.

Recomendação 2

Autoconfiança

A segunda placa na Estrada para o Sucesso é a *autoconfiança.*

Para ter certeza do sucesso, você deve acreditar em si mesmo. Você não pode acreditar em si mesmo a menos que os outros também acreditem em você, e não pode fazer os outros acreditarem em você a menos que mereça que acreditem.

Se todas as pessoas que você encontrasse hoje dissessem que você parece estar doente, você teria que consultar um médico até o final do dia. Se as próximas três pessoas com quem falasse hoje dissessem que você parece estar adoecido, você começaria a se sentir mal.

Por outro lado, se cada pessoa que você encontrasse hoje lhe dissesse que você é uma pessoa agradável, isso o influenciaria a acreditar em si mesmo. Se o seu chefe o cumprimentasse todos os dias e dissesse que você está fazendo um excelente trabalho, isso faria com que você acreditasse mais em si. Se os seus colegas de trabalho lhe dissessem todos os dias que você está desempenhando suas tarefas cada vez melhor, você teria mais confiança em si mesmo.

Todos precisamos de alguém que acredite em nós e nos encoraje.

Já foi dito, por aqueles que têm experiência, que a esposa de um homem pode conduzi-lo ao sucesso despedindo-se dele todos os dias com um sorriso alegre no rosto e uma palavra de encorajamento quando ele sair para o trabalho. O homem que criou essas placas na Estrada para o Sucesso dá grande parte do crédito de seu sucesso à sua esposa. Ela se despedia dele todos os dias, quando ele saía para o trabalho, com esta afirmação encorajadora: "Você vai fazer um bom trabalho hoje!"

Ela nunca o importunou. Ela nunca o criticou. Ela nunca o repreendeu se ele estivesse atrasado. Ela sempre disse a ele o quanto o achava um homem brilhante. Um dia ela fez uma coisa muito incomum – escreveu declarações positivas para seu marido assinar e pendurar na frente dele, onde ele pudesse vê-las o dia todo enquanto estivesse no trabalho. Esta é uma cópia do que ela escreveu:

"Eu acredito em mim. Eu acredito em quem trabalha comigo. Eu acredito em meu empregador. Eu acredito em meus amigos. Eu acredito na minha família. Eu acredito que Deus vai prover tudo de que preciso para ter sucesso se eu fizer o meu melhor para merecê-lo, por meio de um serviço fiel, eficiente e honesto. Eu acredito em orações e nunca fecharei meus olhos para me entregar ao sono sem orar por orientação Divina para que eu seja paciente com outras pessoas e tolerante com aqueles que não pensam como eu. Eu acredito que o sucesso é o resultado do esforço inteligente e não depende de sorte, práticas duvidosas ou amigos e colegas de trabalho enganadores, ou do meu empregador. Acredito que tirarei da vida exatamente o que colocar nela; portanto, terei o cuidado de agir com as outras pessoas como eu gostaria que elas agissem comigo. Não vou caluniar aqueles de quem não gosto, não vou diminuir o meu trabalho, não importa o que eu veja os outros fazendo. Prestarei o melhor serviço, darei o melhor de mim porque me comprometi a ter sucesso na vida e sei que o sucesso é sempre o resultado de um esforço consciencioso. Por fim, vou perdoar

aqueles que me ofendem, porque percebo que, às vezes, vou ofender os outros e vou precisar do perdão deles."

(Assinatura) ________________________________

Quando você lê as declarações que ele assinou, e fez o possível para cumprir, se pergunta por que esse jovem, que começou como operário nas minas de carvão, atingiu o sucesso e a riqueza?

Essas são boas afirmações para assinar e colocar diante de si no seu trabalho, onde você e outras pessoas possam vê-las a cada dia. No início, você pode achar difícil viver de acordo com essas afirmações, mas tudo o que vale a pena tem algum tipo de preço. O preço da Autoconfiança é o esforço consciencioso para viver de acordo com essas afirmações.

Se você é casado, mostre essas afirmações ao seu companheiro. Se não é casado, mostre-as a alguém que você gostaria que fosse seu parceiro de vida e peça que essa pessoa o ajude a viver de acordo com as afirmações.

* * *

Acredite em si mesmo se quiser que os outros acreditem em você. Espere o sucesso de si mesmo se deseja que os outros esperem o sucesso de você. O mundo o aceita conforme sua própria estima, sua própria avaliação, portanto coloque-se em alto conceito.

Vale a pena acreditar em si mesmo e vale a pena desenvolver aquele tipo de personalidade que faz com que os outros acreditem em si mesmos. Conhecemos um homem que dedica toda a vida a ajudar outras pessoas a fortalecer a autoconfiança. Outro dia, ele recebeu a notícia de que um empresário de sucesso o havia incluído em seu testamento para um grande legado. No testamento o doador disse: "Ler um dos seus livros me ajudou a me tornar um homem de sucesso, e estou deixando uma parte da minha riqueza para você, para que possa seguir adiante ajudando outras pessoas como você me ajudou".

Ajudar os outros a se ajudarem rende mais do que mero dinheiro; esse ato é pago em felicidade. Você pode ser rico monetariamente e naquele "algo" que o dinheiro não pode comprar e que não pode ser medido por um padrão financeiro, se você desenvolver a arte de ajudar os homens a ajudarem a si mesmos. Acredite primeiro em você. Esse é o requisito inicial para todas as realizações que valem a pena.

"VOCÊ"

Você é a pessoa mais importante em todo o mundo.
Em você estão todos os elementos de um homem de sucesso.
Você tem dentro de si todas as forças latentes que o elevarão aos seus desejos – de sucesso e felicidade. Este texto o ajudará a perceber cada vez mais que você é um homem de valor – e a pessoa mais importante do mundo.

* * *

Tudo o que você deseja, você pode ter – pois, desenvolvendo a sua capacidade, os seus desejos se enquadrarão em uma dimensão perceptível. E com um entendimento exato dos seus desejos, virá a percepção do seu poder para os defender.

Honras, riquezas e poder podem vir a você por acaso, não merecidos e de modo arbitrário, mas não servirão a você, e você os deixará escapar novamente a menos que esteja preparado para recebê-los e usá-los corretamente.

Todo o poder de um homem está dentro dele, e o primeiro dever de um homem é consigo mesmo. Ao cumprir fielmente esse dever, você não pode falhar no objetivo de deixar a sua marca na sociedade em que vive, não pode deixar de elevar o padrão do seu ambiente e dignificar todos ao seu redor.

Você pode ser apenas uma entre centenas ou milhares de outras pessoas trabalhando em uma grande empresa. Suas obrigações e funções imediatas podem parecer monótonas e triviais. Aparentemente não há incentivo para entusiasmo ou orgulho profissional. Seja você mesmo e mostre-se. O seu trabalho sempre será o que você quiser que seja – ele sempre será o que você merece. Não é o seu trabalho, o seu salário, nem são as suas condições ou possibilidades — é VOCÊ.

Acredite na sua capacidade de fazer grandes coisas. Somente acreditando em você mesmo é possível fazer com que outras pessoas acreditem em você.

O que quer que lhe seja dado para fazer deve receber de você atenção e interesse incondicionais, de todo o seu coração; sua habilidade máxima. Faça o que deve fazer de forma que aqueles que estão acima de você notem. Você só pode fazer com que eles percebam se as suas ações tiverem bastante vigor e sabedoria. Tudo depende de você.

Ficar desanimado com relação à sua sorte na vida serve apenas para diminuir-se sem ajudar a si mesmo. Estar determinado a coisas melhores, assim como pronto e ansioso para trabalhar por coisas melhores, certamente trará recompensa.

Não há necessidade de esperar que outras pessoas morram para que você seja promovido. Você pode esperar, se quiser, mas não há necessidade disso. Você está apenas se cansando e se desgastando com a espera. Você é o único responsável. Nenhuma empresa teria promoção por tempo de serviço se cada homem ou mulher, garoto ou garota, se esforçasse mais, tivesse uma opinião melhor sobre si mesmo e trabalhasse com essa opinião. Ao avaliar o seu próprio valor, não se permita flutuar em um mar de presunção suprema. Não deixe sua mente inflar. Uma avaliação adequada de si mesmo deve incluir crédito por manter o controle.

Quando você perceber o seu valor, manterá o controle sobre ele, para que possa usar seu poder de maneira sensata e racional. Você é maior do que pensa que é. Aja de acordo com isso.

Faça o seu trabalho melhor do que qualquer pessoa da sua idade ou com sua experiência. Assim, você se mostra apto para deveres ainda maiores. Esses deveres maiores virão, e, ao enfrentá-los com o mesmo espírito de ousadia, um avanço adicional será inevitável. E você vai continuar assim por diante. Tudo depende de você. Nada pode detê-lo se você decidir que irá prosperar.

A maioria dos homens verdadeiramente grandes começou pequeno – pense em uma posição menor do que a sua, qualquer que seja sua posição atual. Mas eles encontraram a si mesmos, eles se conheciam. Reconheceram o poder do homem que diz: “Eu quero”. As oportunidades não surgirão a menos que você tenha uma percepção sobre si mesmo incrível o suficiente para agarrá-las.

Esteja determinado a melhorar o trabalho que você está fazendo. Mostre como você pode produzir mais com menos energia física e mental.

Você não nasceu para continuar na sua posição atual. Há espaço para você em posições mais acima, se estiver pronto para escalar. Também existe prazer na escalada. O trabalho é um prazer se o fizermos ser assim. O trabalho enfadonho não tem sentido para o garoto ou homem que tem um objetivo principal na vida.

Um trabalho melhor do que o que você está realizando agora o espera. Você não pode consegui-lo apenas pedindo por ele e, não importa como ou quando o consiga, deve realizá-lo em plenitude e, assim, preparar-se para outro. O mundo pede pessoas que pensem bem de si próprias, bem o suficiente para se dignificarem cumprindo cada tarefa com eficiência e um resultado do qual se orgulhar. Há uma posição melhor o esperando, mas você deve mostrar-se digno dela completando o seu trabalho atual de tal forma que sua habilidade se mostre superada nele. Alguém verá isso e o aproveitará.

Vale a pena trabalhar por tudo o que vale a pena ter. Não se irrite ou se preocupe com o sucesso de outra pessoa. Use o seu tempo para fins pessoais, para o seu objetivo; aplique-o à sua tarefa atual e não se preocupe muito com o resultado – ele virá. Isso é inevitável. É a lei.

Trate-se como um homem de valor. Exija muito de si mesmo. Seja o seu mais duro capataz

Para você, a melhor coisa é você mesmo. Aproveite bem suas qualidades; pense bem de si mesmo; trabalhe duro para si mesmo. Outros se beneficiarão no processo – não negue isso a eles. Esteja seguro de que a sua recompensa é tão certa quanto o trabalho que você faz para garanti-la.

Não tenha pena de si mesmo. Não diminua o seu valor a seus próprios olhos. Confie em você mesmo.

Você é a pessoa mais importante em todo o mundo. Você pode ser o que quiser ser. Ninguém pode fazer tanto por você quanto você pode fazer por si mesmo. Tudo depende de você.

Autoconfiança

Nossas dúvidas são traidoras e nos fazem perder o que, com frequência, poderíamos ganhar, por simples medo de arriscar.

– SHAKESPEARE

Lincoln começou em uma cabana de toras de madeira e chegou à Casa Branca – porque ele acreditava em si mesmo. Napoleão começou como um pobre corso e colocou metade da Europa aos seus pés – porque ele acreditava em si mesmo. Henry Ford começou como um pobre fazendeiro e colocou mais rodas em movimento do que qualquer outro homem neste mundo – porque ele acreditava em si mesmo. Rockefeller começou como um contador pobre e se tornou o homem mais rico do mundo – porque ele acreditava em si mesmo. Eles conseguiram o que desejavam porque tinham confiança em suas próprias habilidades. Agora, a pergunta é: POR QUE VOCÊ NÃO DECIDE O QUE QUER E, ENTÃO, VAI LÁ E FAZ ACONTECER?

Recomendação 3

Iniciativa

A terceira placa de recomendação na Estrada para o Sucesso é *iniciativa!*

Em palavras simples, *iniciativa* significa que você fará o que é preciso sem que outra pessoa lhe diga para fazer.

O homem que criou essas placas na Estrada para o Sucesso cresceu nas montanhas de Wise, Virgínia. Ele tinha pouca escolaridade. Não dispunha de casa, e tinha apenas poucos amigos quando foi trabalhar como ajudante, carregando água nas minas.

Carregar água não o mantinha totalmente ocupado, então ele passava parte do tempo ajudando os condutores a desatrelar suas mulas nos vagões de tremonha. Um dia, o dono das minas apareceu e viu esse rapaz ajudando os condutores a fazerem seu trabalho. O proprietário parou o rapaz e perguntou quem lhe havia dado a incumbência de fazer esse trabalho extra.

O menino respondeu: "Ninguém me disse para fazer isso, mas tenho algum tempo livre e pensei que ninguém se importaria se eu fizesse bom uso dele, ajudando os condutores em seu trabalho".

O dono das minas começou a se afastar. Então, ele se virou de repente para esse rapaz e disse: "Venha ao meu escritório ao anoitecer, depois que você sair do trabalho". O rapaz estava assustado, porque pensou que isso significava que perderia o emprego por fazer algo que não lhe disseram para fazer. No final do dia, com medo e tremendo, foi ao escritório do proprietário.

O dono da mina viu que ele estava assustado e, então, rapidamente garantiu que ele não precisava ter medo. Pediu ao rapaz que se sentasse e lhe disse:

"Meu garoto, você sabe que temos várias centenas de homens trabalhando nesta mina e outros tantos capatazes cujo trabalho é garantir que esses homens façam direito o que lhes é dito para fazer. De todas essas centenas de homens, você é o primeiro que eu tive que chamar ao meu escritório por ter ajudado outros companheiros a fazer o seu trabalho sem que dissessem para fazê-lo. Você tem aquela qualidade rara chamada *iniciativa*, e, se continuar a usá-la, um dia poderá estar por aqui em qualquer posição que desejar".

Então, o dono da mina voltou ao trabalho, o menino se levantou e saiu em silêncio do escritório. Esse foi um dos momentos mais felizes de sua vida. Ele tinha ido ao escritório esperando ser "demitido" e, na verdade, havia sido elogiado.

Cinco anos depois, esse menino foi nomeado gerente-geral da mesma mina de carvão, mas, agora, com mais de mil homens sob sua direção. Naquela época ele era o mais jovem gerente-geral de uma mina de carvão nos Estados Unidos. Todos os homens gostavam dele porque tinham confiança nele. Acima do guichê de pagamento, havia uma grande placa que dizia o seguinte:

AOS MEUS COLEGAS DE TRABALHO

Há cinco anos, o gerente-geral desta mina trabalhava como ajudante, carregando água, por um salário de cinquenta centavos por dia.

Um dia, o dono das minas pegou esse ajudante auxiliando os condutores a desatrelar suas mulas no Poço Número Três.

Ele não foi pago para fazer esse trabalho extra. Ninguém pediu a ele para fazer isso. Ele fez porque queria dar uma ajuda e aliviar o fardo dos condutores.

Essa iniciativa é uma parte valiosa do conjunto de habilidades de qualquer homem. Cada homem que recebe o seu pagamento neste guichê tem a mesma oportunidade de subir a uma posição com mais responsabilidades do que a daquele garoto e pode fazer isso exatamente da mesma maneira.

Nenhum homem nestas minas é obrigado a fazer parte do trabalho de outro companheiro, mas não há nada que o impeça de fazê-lo se ele quiser, e, se algum homem mostrar tanta iniciativa quanto esse garoto mostrou, ele pode, consequentemente, ter um dos melhores empregos nestas minas, pois ninguém pode detê-lo.

A partir de hoje, você deve aproveitar as oportunidades que surgem para quem tem iniciativa, porque essa é uma das placas de recomendações mais importantes na Estrada para o Sucesso.

Os direcionamentos conectados a essa placa sobre *iniciativa* são simples e muito fáceis de serem seguidos. Durante os próximos dez dias, faça com que usar a *iniciativa* se torne algo pessoal, algo que deva ser feito, realizando no seu trabalho ao menos uma coisa por dia que não lhe foi dito para fazer. Não diga nada a ninguém sobre o que está fazendo, mantenha essa postura e siga essas instruções. Se o seu trabalho estiver relacionado a algo que não pode ser feito sem que lhe seja solicitado, aumente um pouco a velocidade e trabalhe mais e melhor do que já vem trabalhando no mesmo período. Continue assim por dez dias, e nesse tempo você vai atrair a atenção do seu empregador. Ao final dos dez dias, você também verá que vai valer a pena usar a *iniciativa* pelo resto de sua vida, porque a *iniciativa* leva a uma maior responsabilidade e a um salário maior, o que o ajuda a conseguir tudo que você definiu como o seu *objetivo principal na vida*.

iniciativa

O mundo concede os seus grandes prêmios, tanto em dinheiro quanto em honras, e, por alguma razão, isso é *iniciativa*.

O que é *iniciativa?* Vou dizer a você: é fazer a coisa certa sem ser solicitado.

Mas, ao lado de fazer a coisa certa sem ser solicitado, está fazê-la quando for solicitado pela primeira vez. Ou seja, alguém pode pedir que você vença um desafio; aqueles que podem vencer o desafio recebem honrarias, mas o seu pagamento nem sempre é proporcional.

Também há aqueles que nunca fazem a coisa certa até que lhes seja solicitado duas vezes; tais pessoas recebem pouco pagamento e nada de honras.

Existem ainda aqueles que fazem a coisa certa apenas quando a necessidade os aperta; essas pessoas ganham indiferença em vez de honras, além de uma ninharia como pagamento.

Esse tipo de pessoa passa a maior parte do tempo adulando de modo servil, com uma história de má sorte.

Também, ainda mais abaixo na escala, temos o sujeito que não fará a coisa certa mesmo que alguém o acompanhe, mostre como fazer e ainda fique junto para ajudá-lo; ele está sempre desempregado e recebe o desprezo que merece, a menos que tenha um pai rico – nesse caso, o destino, pacientemente, o espera com um golpe duro.

A qual dessas classes *você* pertence?

– ELBERT HUBBARD

Recomendação 4

Imaginação

A quarta placa de recomendação na Estrada para o Sucesso é *imaginação!*

Qualquer pessoa bem-sucedida deve usar a *imaginação*. Você não precisa ser bem-educado, muito instruído, para poder usar a imaginação. Quando usa sua imaginação, simplesmente constrói novos planos a partir de ideias antigas, da mesma maneira que alguém pode construir uma nova casa com tijolos antigos.

Um dia, um jovem caminhava em uma fila de pessoas com uma bandeja nas mãos, preparando-se para servir-se do jantar em um refeitório. Enquanto ele estava na fila, a sua *imaginação* começou a funcionar. Ele pensou consigo mesmo: "Por que não seria uma boa ideia abrir uma mercearia com autosserviço, onde as pessoas pudessem entrar, encher suas cestas com o que quisessem e pagar na porta quando saíssem?".

Ele alugou uma pequena loja e colocou a sua ideia de uma mercearia de autosserviço para funcionar. Agora ele tem lojas em dezenas de localidades. Sua ideia o tornou um homem rico. Suas mercearias de autosserviço economizam tempo e dinheiro para quem faz as compras por lá.

Olhe ao redor e veja se não consegue fazer a *imaginação* trabalhar para você. Se você pode fazer o seu trabalho em menos tempo, e fazê-lo bem, tem aí uma ideia valiosa. Se encontrar uma maneira de ajudar outra pessoa a fazer o trabalho em menos tempo, aí você também tem uma ideia valiosa. Qualquer coisa que economize tempo e trabalho vale dinheiro. Lembre-se disso e esteja sempre atento a um plano ou uma ideia capaz de lhe poupar tempo, porque esse plano vai ajudá-lo no caminho para o sucesso.

Nos estados do sul, eles cultivam algodão. Costumam jogar as sementes do algodoeiro fora ou despejá-las em grandes pilhas. Essas sementes não serviam para nada. E custava dinheiro descartá-las.

Um dia, um jovem apareceu e viu aquelas pilhas enormes de sementes de algodão. Pegou um punhado e esmagou uma delas entre os dentes. Descobriu que a semente estava cheia de óleo puro.

Ele pegou um tacho de latão cheio de sementes e as esmagou com um martelo. Despejou as sementes trituradas em um saco e espremeu o óleo para fora dele. Descobriu que o óleo era bom para muitas coisas e que as sementes eram úteis para alimentar o gado depois que o óleo fosse extraído.

Esse jovem havia usado a *imaginação*. Ele percebeu que as sementes que os produtores de algodão jogavam fora eram a parte mais valiosa de suas colheitas. Começou a comprar essas sementes e a produzir óleo e ração para o gado com elas. Sua descoberta o tornou um homem muito rico.

Agora eles guardam todas as sementes do algodoeiro. A *imaginação* desse jovem valia milhões de dólares por ano.

Qualquer pessoa que descubra como utilizar qualquer coisa de valor que vai para o lixo está usando a *imaginação*. Talvez haja uma oportunidade para *você* usar sua *imaginação* impedindo um desperdício ou economizando tempo para alguém onde trabalha. Se encontrar essa oportunidade, ela o ajudará na Estrada para o Sucesso.

Na costa do Pacífico, na Califórnia, uma cidade foi construída o mais próximo possível do mar. Ela cresceu até cobrir todo o terreno plano que havia.

De um lado existia uma grande colina íngreme que dava para o oceano. Eles não puderam construir casas nessa colina, porque era muito íngreme. No sopé da colina, o solo era plano, mas, na maior parte do tempo, coberto com água represada do mar. Era muito úmido para fins de construção.

Ninguém achou que esse terreno fosse valioso, porque nenhuma casa poderia ser construída nele.

Um dia apareceu um homem com *imaginação*. Ele subiu no topo da colina íngreme e olhou para o terreno que estava coberto com a água represada. Então, a sua *imaginação* começou a funcionar. Ele treinou essa qualidade para que ela trabalhasse por ele. Viu que qualquer outra pessoa que morava naquela cidade poderia ter tido outro olhar se tivesse usado a *imaginação*.

Ele foi até o dono das terras com a água represada e as comprou por uma pequena quantia. Então, foi até o dono da colina íngreme e a comprou por uma pequena quantia. Depois, comprou um pouco de dinamite e derrubou a colina, preenchendo a área com água e nivelando o terreno. Isso transformou as áreas alagadas em belos lotes. Ele também nivelou a área onde começava a colina e a vendeu para lotes de construção. Esse homem com *imaginação* fez fortuna em alguns meses nivelando com o entulho, do início da colina íngreme até o terreno plano, até onde fosse necessário.

Dê uma olhada no local onde você trabalha. Se usar a *imaginação*, verá algumas mudanças que podem ser feitas para economizar tempo ou esforços. Encontrará uma maneira de fazer o *seu trabalho* em menos tempo ou de produzir mais no mesmo tempo. Isso valerá dinheiro para o seu empregador e para você.

Nenhum homem pode se tornar líder em sua comunidade ou alcançar sucesso duradouro até que se torne grande o suficiente para responsabilizar-se por seus erros e fracassos.

Imaginação é um dos assuntos mais importantes neste conteúdo sobre como encontrar a Estrada para o Sucesso!

Se você usar a *imaginação* no seu trabalho, certamente irá progredir.

Há pouco mais de trezentos anos, um pobre garoto marinheiro usou a *imaginação* e encontrou um novo continente. Esse foi o mais proveitoso uso dela já registrado na história.

O nome desse marinheiro era Cristóvão Colombo!

Das costas da Espanha, ele olhou em direção ao oceano Atlântico e "imaginou" que deveria haver terras do outro lado. Juntou três pequenas embarcações a vela e começou a procurar essas terras. Não encontrou nada no primeiro dia, nem na primeira semana, nem no primeiro mês, mas continuou navegando.

Ele finalmente navegou com suas embarcações em direção a esse continente. Como consequência da *imaginação* de Colombo, agora temos o melhor, o mais livre e o mais rico país do mundo. Um país onde todos podem ter uma casa. Um país onde todos têm a oportunidade de trabalhar se quiserem trabalhar. Um país onde todos podem ter as crenças que preferirem e adorar a Deus à sua maneira. Não havia liberdades como essas no lugar de onde Colombo veio quando partiu para encontrar a América.

Sua liberdade neste grande país americano foi possível porque Colombo usou a *imaginação.* Talvez não haja mais grandes continentes como este para descobrir por meio da *imaginação,* mas há muitas oportunidades para você ajudar a tornar este um país ainda melhor.

Há quase dois mil anos, uma criança nasceu em um antigo país. Os seus pais eram tão pobres que não tinham casa, e a criança nasceu em um estábulo.

Essa criança tinha pouca escolaridade. Os pais não eram ricos, e ela tinha poucos amigos. Dispunha de pouca liberdade, pois as pessoas tinham muito menos liberdade naquela época do que agora.

Aos 12 anos, essa criança começou a usar a *imaginação*. Esse menino de 12 anos viu que os homens não eram bons uns com os outros. Percebeu a necessidade de mais bondade e mais liberdade no mundo. Ele formou uma pequena entidade de classe; talvez a primeira do mundo. Essa entidade de classe tinha apenas doze membros.

Esse menino cresceu e se tornou adulto. Ele se tornou um grande pregador. Sua pregação era simples e fácil de entender, assim como todas as coisas grandiosas são simples e fáceis de entender. Esse grande pregador dedicou toda a vida a dizer aos homens que a única coisa que vale a pena neste mundo é a felicidade. Ele disse aos homens que eles só poderiam *obter* felicidade *dando-a* aos outros.

Alguns homens ignorantes pegaram esse grande pregador e o penduraram em uma cruz até que ele morresse, mas não mataram sua mensagem. A mensagem era profunda. A mensagem era embasada na *verdade* e na *justiça*, e nada pode impedir uma mensagem embasada na justiça para todos os homens. Esse grande pregador agora tem milhões de seguidores de Sua mensagem. Talvez *você* seja um deles. Se é um deles, então, você se lembra do maior sermão. Recebeu o nome de Sermão da Montanha e pode ser encontrado no livro de Mateus, na Bíblia Sagrada.

Nesse sermão, esse grande pregador nos disse: “Então, em tudo, faça aos outros o que você gostaria que fizessem a você”. Essa é uma boa regra a seguir. Ela resistiu por dois mil anos, e ainda ninguém a violou sem sofrer.

Quando você pensar nesse grande pregador, Jesus Cristo, lembre-se de que ele dedicou toda a vida para mostrar aos homens e às mulheres que a única coisa que vale a pena ter neste mundo é a felicidade, e que só podemos *obter* felicidade *dando-a* aos outros.

Um dia, um pobre rapaz começou a descer o rio Mississippi em uma canoa. Esse jovem nascera em uma cabana de toras de madeira que não tinha nada além de terra como chão.

Em Nova Orleans, ele viu homens brancos negociando homens e mulheres negros como escravos. Então, sua *imaginação* começou a funcionar. Não parecia certo para ele que homens e mulheres negros fossem vendidos como escravos.

Sua *imaginação* lhe dizia que era errado vender homens e mulheres em um país livre como este. Muitos anos se passaram. Esse jovem camponês tornou-se homem. Ele leu em sua Bíblia sobre aquele grande pregador que nascera em um estábulo. Lembrou-se do que aquele pregador dissera sobre "em tudo, faça aos outros o que você gostaria que fizessem a você".

Não lhe parecia que a venda de escravos era praticar o que Jesus Cristo tinha ensinado. Ele decidiu encerrar o comércio de escravos nos Estados Unidos. A oportunidade desse homem finalmente chegou. O povo dos Estados Unidos o elegeu como presidente. Então, ele parou com o comércio de negros como escravos. Esse homem, Lincoln, deixou para todos nós um bom exemplo a seguir. Ele deu a vida para manter este país como o lugar mais livre do mundo.

Lincoln acreditava na justiça para todos. Acreditava que devemos ser honestos e verdadeiros uns com os outros. Acreditava que devemos praticar a Regra de Ouro em estabelecimentos e empresas e em todos os lugares onde os homens se encontram. Nunca tivemos um presidente melhor que Lincoln. Ele acreditava que todos nos Estados Unidos tinham direito à liberdade. Acreditava que o homem tinha direito aos frutos do próprio trabalho, fosse branco ou negro. Ele acreditava que todos tinham direito à proteção neste grande país, desde que se comportassem bem para tal.

Use a *sua* imaginação e, talvez, você faça algo que colocará o seu nome entre os imortais que superaram a mediocridade.

Recomendação 5

Entusiasmo

A quinta placa de recomendação na Estrada para o Sucesso é o *entusiasmo!*

Todo mundo gosta de uma pessoa entusiasmada e alegre. O *entusiasmo* fará o seu trabalho parecer mais leve. Ele fará com que as suas horas pareçam mais curtas.

Entusiasmo é "contagioso". Quando uma pessoa tem, todos ao redor dela também pegam. Nenhum vendedor poderia ter sucesso vendendo mercadorias sem ficar entusiasmado com o que está negociando.

Na prisão estadual do Arizona, está um jovem que foi enviado para lá em prisão perpétua. Antes de ir para a prisão, ele era um sujeito mal-humorado que nunca se entusiasmara com o seu trabalho. Estava sempre em apuros e nunca teve sucesso em nada. Quando o levaram para a cadeia, ele logo percebeu que seria um lugar muito solitário para um homem que não tinha *entusiasmo*, então começou a fingir que estava entusiasmado com o seu trabalho. Ele foi para as atividades com um sorriso no rosto e trabalhou tão duro como se lhe estivessem pagando por isso. Logo aprendeu a gostar do jogo do "*entusiasmo*". Isso atraiu a atenção dos funcionários da prisão, e eles lhe deram mais privilégios. Ele voltou a atenção para a escrita durante os momentos livres. Começou a praticar a redação de cartas de vendas.

Logo se tornou tão eficiente nisso que atraiu a atenção de homens de negócios que compravam suas cartas.

Elas eram interessantes porque ele colocava *entusiasmo* ao escrevê-las. Os funcionários da prisão deram-lhe ainda mais liberdades e privilégios, e hoje ele está ganhando muito com a sua escrita. Essa história deve fazer com que alguns de nós, que não estão na prisão, pensem sobre *entusiasmo*. Algum dia esse prisioneiro será perdoado, sairá pelo mundo e terá um grande sucesso. Fique entusiasmado com o seu trabalho e você não apenas gostará mais dele, mas também poderá ganhar mais dinheiro.

Não muitos anos atrás, Edwin C. Barnes viajou em um vagão de carga para Orange, Nova Jersey. Ele foi para lá pedir um emprego a Thomas A. Edison.

Barnes conseguiu o emprego, mas não recebia bem no início. O trabalho não era fácil, mas o Sr. Barnes colocou na cabeça que iria trabalhar para o Sr. Edison, não importava qual tipo de trabalho tivesse que aceitar para começar.

O Sr. Edison é um homem muito inteligente. Queria testar o Sr. Barnes, então deu-lhe um trabalho difícil e com um salário baixo, para descobrir por quanto tempo ele permaneceria no emprego e o quanto ele queria trabalhar para o Sr. Edison.

O Sr. Barnes assumiu esse emprego com *entusiasmo*. Ele trabalhava como se estivesse recebendo os melhores salários. Trabalhava com um sorriso no rosto. Todos em torno de Edison começaram a gostar dele. Embora o seu trabalho fosse árduo e o seu salário, baixo, ele se dedicou e tornou-se útil.

Isso não aconteceu há muitos anos. O Sr. Barnes ainda é jovem, mas demonstrou tanto *entusiasmo* por seu trabalho que foi promovido várias vezes. Agora ele tem escritórios próprios em Nova York,

St. Louis e Chicago, onde vende os ditafones "Ediphone". Ele é um homem rico e possui uma bela casa em Bradentown, na Flórida.

Um grande salto para um jovem que viajou para Orange, Nova Jersey, em um vagão de carga porque era pobre demais para comprar uma passagem de trem. A ascensão do Sr. Barnes ao sucesso e à fortuna se deveu em grande parte ao seu *entusiasmo* com o seu trabalho. Não goste do seu trabalho, e ele o dominará, mas seja *entusiasmado* pelo seu trabalho e você o dominará. Você pode imaginar o que teria acontecido com o Sr. Barnes se ele tivesse criticado o trabalho duro e o baixo salário com os quais o Sr. Edison o iniciou. Ele fez o melhor em um trabalho árduo, e, em pouco tempo, um trabalho melhor e com um salário mais alto apareceu em seu caminho.

Durante o próximo mês, faça o seu trabalho como se fosse um jogo, como se você estivesse jogando. Goste ou não do seu trabalho, faça-o com *entusiasmo*, como se você gostasse.

Lembre-se de que um prisioneiro condenado à prisão perpétua no presídio estadual do Arizona encontrou uma maneira de se *entusiasmar* com o trabalho que foi forçado a fazer e pelo qual não recebia pagamento. Lembre-se, também, de que os funcionários da prisão lhe deram mais liberdade e privilégios e se interessaram por ele por conta do seu *entusiasmo*. Você tem muitas vantagens em relação ao homem que estava trancado entre as paredes escuras de uma prisão, portanto achará muito mais fácil esse "jogo do *entusiasmo*".

Mantenha esse jogo do *entusiasmo* por um mês, não importa o que os outros façam. Não diga nada a ninguém sobre o motivo de estar fazendo isso. Você vai se divertir muito com esse jogo. Notará que as pessoas começarão a mostrar mais interesse em você. Vai perceber que o seu chefe passará a observá-lo, mas você deve seguir com o seu plano e continuar em frente com o seu jogo. Tenha em mente que está na Estrada para o Sucesso, e as placas no caminho lhe diziam para jogar o jogo do *entusiasmo* por um mês inteiro.

Você pode não saber por que está sendo instruído a jogar esse jogo do *entusiasmo*, mas verá, muito antes do final de um mês, que vale a pena seguir as instruções.

Dois trabalhadores desempregados se encontraram em um vagão de trem em uma noite escura e chuvosa. Um deles tinha sido vendedor cujo expediente era das dez às quatro da tarde, e o outro também não tinha dinheiro.

Eles começaram a falar sobre si mesmos. Um disse ao outro: "Eu trabalhava em uma empresa que queria que eu cumprisse horários fixos. Eles falaram muito sobre essa bobagem de *entusiasmo*, mas isso nunca fez muito sucesso comigo. Eu disse a eles que trabalharia do meu jeito, ou nada feito. Eles não gostaram do meu modo de agir, então coloquei o meu chapéu e saí".

O outro homem já havia sido um sujeito inteligente, mas o uísque e o jogo tinham-no arruinado. Ele escutou o colega por alguns minutos e, em seguida, fez a seguinte pergunta:

"Como é, Bill, que um sujeito que sabe tanto quanto você sobre como administrar o negócio do seu empregador está viajando em um vagão de carga em vez de um vagão-dormitório Pullman?".

Essa pergunta foi surpreendente! Você nunca notou, entre as pessoas que já conheceu, que o sujeito fracassado geralmente critica o que está tendo sucesso?

Você vai perceber que as pessoas bem-sucedidas estão ocupadas demais em *ter sucesso* para perder tempo criticando o seu país, o seu governo, os seus colegas de trabalho ou o seu empregador. Vai perceber que as pessoas que estão tendo sucesso ficam *entusiasmadas* com o seu trabalho e nunca as ouvirá explicando como perderam o emprego.

Você também notará que as pessoas que misturam *entusiasmo* com o trabalho estão sempre nos melhores empregos e recebem os melhores salários. Também perceberá que o sujeito que não demonstra *entusiasmo* por nada e está sempre reclamando sobre o trabalho ser muito difícil e o salário ser muito baixo é o primeiro a ser demitido quando o negócio está ocioso.

Recomendação 6

Ação

A sexta placa de recomendação na Estrada para o Sucesso é *ação.*

Em tamanho, o homem é cerca de cem milhões de vezes maior que a abelha, mas em inteligência a abelha é cerca de cem milhões de vezes maior que o homem.

O homem olha com orgulho para a sua obra, os grandes arranha-céus que se confundem com o horizonte, e diz para si mesmo: "Veja que ser maravilhoso eu sou; veja os grandes edifícios que construí; veja o que a evolução fez pela raça humana; veja a riqueza que criei".

A pequena abelha inteligente, montando guarda na entrada de sua colmeia, ouve o homem se gabar e responde: "Sim, é verdade que você fez mudanças maravilhosas na superfície da Terra; você transformou areia e pedra em arranha-céus; construiu locomotivas poderosas; dominou o espaço e mediu a distância até as estrelas; mas uma coisa que você não fez, apesar de todas as suas realizações, foi desvendar as infinitas possibilidades dentro dessa sua cabeça. Outra coisa que não descobriu é o espírito de viver em comunidade! Você ainda precisa compreender que existe algo no mundo pelo qual se esforçar que seja maior do que o seu bem-estar individual.

"Você trabalha para o objetivo egoísta de tirar dos seus colegas de trabalho o que eles adquiriram. Ainda não descobriu o 'espírito da colmeia' que nós, pequenas abelhas, seguimos. Armazenamos mel para o bem da colmeia, enquanto você armazena dinheiro para oprimir o seu colega de trabalho e controlá-lo para o seu ganho individual."

Que pequeno inseto maravilhoso!

Que lição maravilhosa as abelhas podem nos ensinar se nós apenas as observarmos, analisarmos seus hábitos e pensarmos a respeito disso!

A abelha é o único ser vivo neste mundo que pode controlar e determinar o sexo antes do nascimento!

O homem, com toda a sua sabedoria, com todo o seu avanço, com todo o seu conhecimento da biologia e da fisiologia, não pode predeterminar nem controlar o sexo!

A pequena abelha pode controlar o sexo!

Saia, compre um livro sobre as abelhas e estude sobre elas. Vá até uma colmeia, sente-se na frente dela e observe a abelha fazendo o seu trabalho. A abelha é um pequeno inseto interessante, com o qual você pode aprender muitas coisas valiosas.

Existem três tipos de abelhas em cada colmeia. Um deles é a rainha, que é a mãe ou a abelha fêmea. Ela põe os ovos e mantém a espécie viva. Essa é a sua única obrigação. O outro tipo é o zangão, ou abelha macho. Sua única função é fertilizar os ovos que a fêmea põe. E, então, há o outro tipo, as abelhas trabalhadoras – aquelas pequeninas e inteligentes companheiras que colhem o mel das flores e o armazenam para o uso de toda a colmeia. Elas não são machos nem fêmeas.

Existe apenas uma fêmea, ou abelha-rainha, em cada colmeia. Se um garoto joga uma pedra na colmeia e mata a rainha, ou se ela morre por qualquer outra causa, as outras abelhas, *por meio de um processo co-*

nhecido apenas pelas abelhas, fertilizam imediatamente um ovo do qual nascerá outra abelha-rainha em um tempo bem curto.

Depois que a abelha macho desempenha a função para a qual a natureza a criou, as operárias a atacam e a picam até a morte. Há um decreto na "abelholândia" de que todos os que não têm mais serventia, não estão mais trabalhando, devem sair! Não é uma má ideia.

Você vai perceber que a maioria das abelhas em todas as colmeias são operárias! Isso não é um mero acidente da natureza. A mãe natureza deu às abelhas um método de produção de zangões, fêmeas e operárias na proporção que elas determinarem.

No entanto, a maior lição que o homem pode aprender com as abelhas é o altruísmo!

As abelhas trabalham com espírito de comunidade. Elas reconhecem algo maior do que o próprio indivíduo. Trabalham para os seus semelhantes, e não contra eles.

Elas armazenam mel em um favo comum, do qual toda a colmeia pode se servir.

Imagine o homem egoísta, mesquinho e vaidoso fazendo o mesmo! Imagine o homem dividindo o fruto do seu trabalho com seus semelhantes, a menos que, ao fazer isso, *obtenha* mais do que *dá*.

Em alguns aspectos, o homem avançou muito além das abelhas, mas, talvez, não seria possível que ele tenha se afastado dos planos da natureza quando descartou o "espírito de comunidade" e começou a competir e defraudar seus colegas de trabalho daquilo que eles conquistaram?

Nós não asseguramos saber quais são os planos da natureza, mas suspeitamos fortemente de que, antes que o homem possa desfrutar das bênçãos que estão aqui e disponíveis para ele, deve superar o espírito de ganância, a tendência de *receber* sem *dar*, e voltar ao modo de viver das abelhas, trabalhando para a "colmeia"!

Este escritor sabe, sem sombra de dúvida, que a única felicidade real é a que vem de servir ao próximo, e não duvida que muitas outras pessoas tenham descoberto essa mesma verdade.

Depois de procurar em todos os lugares a causa de sua infelicidade, coloque os holofotes em seu próprio coração, examine os pensamentos aos quais você tem se entregado, e você a encontrará.

A Regra de Ouro estabelece um princípio que é muito mais do que uma mera pregação. Ela pede que você vá buscar o que quiser, dando primeiro.

Não sabemos se o homem captou o princípio da Regra de Ouro observando as abelhinhas ocupadas, ou se as abelhas tiveram a ideia para o seu "espírito de colmeia" a partir da Regra de Ouro, mas sabemos que os princípios da Filosofia da Regra de Ouro são tão imutáveis quanto a lei da gravidade, que mantém os planetas do Universo em seus devidos lugares.

E, esteja o homem consciente ou não deste fato, os seus atos com os seus semelhantes voltam para ele multiplicados de forma gigantesca. Você está constantemente atraindo para si pessoas e energias que se harmonizam exatamente com os seus próprios pensamentos e ações! Não há como escapar disso. Está de acordo com uma lei do Universo.

Em toda essa contenda, em toda essa turbulência caótica acontecendo entre o chamado "capital" e "trabalho", vemos uma antítese perfeita do "espírito da colmeia".

Que lição proveitosa ambos os lados poderiam aprender com a humilde abelhinha!

Não cansamos de repetir que acreditamos que o sucesso real vem de um serviço útil – serviço que ajuda os outros a obter sucesso financeiro e felicidade. Qualquer coisa diferente disso não, não é sucesso, mas fracasso!

Acreditamos que a raça humana deve desenvolver o "espírito de colmeia" antes de poder alçar voos mais altos. Por todos os lados, vemos a futilidade de tentar *obter* sem *dar*. Antes de termos algo para *dar*, devemos nos preparar, por meio da prática e do trabalho; devemos desenvolver o espírito de coletividade.

Nosso ponto de vista é mais claramente exposto nas palavras de George Harrison Phelps, no livro *Go*. Essa narrativa gira em torno de Ben Hur e sua corrida de bigas.

"A grande corrida do dia está quase terminada. Os cocheiros estão se aproximando da última curva para terminar em frente à arquibancada real. Cada um se inclina para a frente. Não há nenhum som em todo o vasto Coliseu, exceto o barulho dos cavalos voadores, o troar das bigas, os gritos dos cocheiros.

"A velocidade é fantástica. Ben Hur está em segundo lugar. Eles se aproximam da última curva. Os líderes se lançam para a frente. Cocheiros, bigas e cavalos passam na frente de Ben Hur.

"Como um raio, ele retém duas vezes suas rédeas e, alçando os cavalos de maneira firme, os conduz sobre os corpos prostrados em seu caminho.

"Enquanto ele se inclina em direção à reta, Artimidora grita para ele do camarote real: 'Aqueles braços – onde você conseguiu aqueles braços?'. Ele grita em resposta: *'Nos remos da galé! Nos remos da galé!'*.

"No controle de um trirreme, Ben Hur conseguiu aqueles braços poderosos que o levaram à vitória. Durante anos ele havia trabalhado como escravo em uma embarcação, remando entre outros cem escravos – seminus e suados – com um chicote em suas costas.

"'Faz a coisa certa e terás poder', disse Emerson. Após os anos de trabalho hercúleo de Ben Hur, foi uma tarefa fácil controlar os cavalos com a biga destruída e conduzi-los para a frente.

"Todas as grandes coisas são realizadas facilmente – são os anos, as horas, os momentos de preparação que contam. Thomas Edison não levou vinte minutos comprovando o valor da lâmpada incandescente – ele passou a vida inteira procurando o melhor filamento. Abraham Lincoln escreveu o discurso mais famoso já feito em língua inglesa – o discurso de Gettysburg – no verso de um envelope, uma hora antes de proferi-lo – e, mesmo assim, lá estão a profunda sabedoria, o espírito austero, a compaixão infinita, toda a vida de Lincoln na emoção de cada palavra.

"Trabalhe – com afinco, pacientemente, todos os dias – esforçando-se para alcançar o que há de mais elevado e melhor. Os momentos de ações extraordinárias chegarão a você como chegaram a todos os homens que consideramos notáveis. O caminho do sucesso é o caminho da luta. Esforce-se pela perfeição nas pequenas coisas que fizer e, quando chegar o grande momento, você estará pronto. Você conquista sua força com o suor do seu corpo – no tumulto de sua mente –, com a aspiração da alma.

"Para vencer a competição, primeiro você deve ser um escravo no remo da galé!"

E, antes de iniciar a corrida que vai significar sucesso ou fracasso para você, há uma grande lição que pode ser aprendida com as pequenas abelhas: a *persistência!*

Não importa quantas vezes o homem se aproprie dos favos das abelhas, elas começarão tudo novamente e reabastecerão o seu suprimento de mel. Nenhuma abelha jamais se queixou ou se lamentou sobre alguém ter roubado os frutos do seu trabalho. Quão diferente do homem a abelha é nesse aspecto. Nenhuma abelha desistiu de tentar desde que conseguisse produzir o seu mel.

Ao longo de toda a estrada da vida, você encontrará obstáculos, muitos deles. Uma vez após a outra o fracasso vai encará-lo, mas lembre-se disto: há uma grande lição em cada obstáculo que você domina e em cada fracasso que você supera. Faz parte dos planos da natureza colocar obstáculos em seu caminho. Cada vez que você domina um deles, você se torna mais forte e mais bem preparado para o futuro. Obstáculos nada mais são do que dificuldades necessárias que o treinam e o tornam apto para a grande corrida da vida!

Se você começar o Ano Novo com a firme resolução de realizar MAIS e MELHOR do que é pago para realizar no trabalho, estará apto a fazer deste o seu ano mais próspero.

Não perca tempo tendo pena do homem que passou por muitos reveses e superou inúmeros obstáculos; ele será capaz de cuidar de si mesmo; mas, se você tem compaixão que queira desperdiçar, demonstre-a ao homem que nasceu com uma colher de prata na boca e que nunca soube o que é passar fome, nunca permitiu que qualquer desejo não fosse realizado. Ele é o sujeito que realmente precisa da sua compaixão; os outros saberão se cuidar porque *eles cumpriram o seu aprendizado no remo da galé!*

* * *

Qualquer idiota pode DESISTIR do trabalho quando as coisas dão errado, mas o homem que tem as coisas certas dentro de si DOMINA os obstáculos que o levavam a querer desistir e, quando ele faz isso, passa a não querer mais desistir.

Recomendação 7

Autocontrole

Um inventário pessoal dos meus 36 anos de experiência

Neste editorial o Sr. Hill conta o que ele acredita serem as maiores lições que aprendeu desde sua infância até o presente.

Já ouvi muitas vezes a frase "se eu pudesse voltar minha vida e vivê-la de novo, eu a viveria de forma diferente!".

Pessoalmente, eu não poderia dizer com sinceridade que mudaria tudo o que aconteceu em minha vida se pudesse vivê-la de novo. Não que eu não tenha cometido erros, pois, na verdade, me parece que cometi mais erros do que um homem comum cometeria, mas desses erros veio um despertar que me trouxe verdadeira felicidade e abundantes oportunidades de ajudar outras pessoas a encontrarem a tão procurada disposição emocional.

A cada ano que vivo eu estou mais convencido de que o desperdício de vida está no amor que não damos, nas habilidades que não usamos, na prudência egoísta que nada arrisca e que, fugindo da dor, também perde a felicidade.

Estou convencido, sem margem de dúvida, de que há uma grande lição em todo fracasso e que o chamado fracasso é absolutamente necessário antes que um sucesso valioso possa ser alcançado.

Estou convencido de que parte do plano da natureza é lançar obstáculos no caminho de um homem e que a maior parte do aprendizado de uma pessoa vem não de livros ou professores, mas do esforço constante para superar esses obstáculos.

Acredito que a natureza coloca obstáculos no caminho de um homem, assim como o treinador estabelece obstáculos para um cavalo pular enquanto está sendo treinado para a "marcha".

Hoje é o meu aniversário!

Vou comemorar fazendo o meu melhor para deixar aos leitores da *Golden Rule Magazine* algumas das lições que os meus fracassos me ensinaram.

Comecemos com o meu *hobby* favorito, ou seja, minha crença de que a única felicidade real que alguém experimenta vem de ajudar as outras pessoas a encontrarem a felicidade.

Pode ser mera coincidência que praticamente 25 dos meus 36 anos foram anos muito infelizes e que eu tenha começado a encontrar a felicidade no mesmo dia em que passei a ajudar os outros a encontrá-la, mas não acredito nisso. Acredito que seja mais do que uma mera coincidência – creio que esteja em estrita conformidade com uma lei do Universo.

Minha experiência me ensinou que um homem não pode semear uma safra de tristeza e esperar colher uma safra de felicidade, assim como não pode semear cardos e esperar colher uma safra de trigo. Por meio de muitos anos de cuidadosos estudos e análises, aprendi, de maneira conclusiva, que aquilo que um homem *dá* volta a ele em proporções muito maiores, até o mais ínfimo pormenor, seja um simples pensamento, seja um ato mal-intencionado, um golpe.

De um ponto de vista material e econômico, uma das maiores verdades que aprendi é que vale a pena prestar mais e melhores serviços do que apenas aqueles pelos quais você é pago, pois tão certo quanto isso é que é apenas uma questão de tempo até alguém ser pago por mais do que realmente faz.

Essa prática de colocar o coração em todas as tarefas, independentemente da remuneração, vai mais longe em direção à realização do sucesso material e financeiro do que qualquer outra coisa que eu possa mencionar.

No entanto, isso não é menos importante do que o hábito de perdoar e esquecer os erros que nossos semelhantes cometem contra nós. O hábito de "dar o troco" àqueles que nos irritam é uma fraqueza fadada a se degradar e prejudicar todos os que o praticam.

Estou convencido de que nenhuma lição que minha experiência de vida me ensinou foi mais custosa do que aquela que aprendi exigindo "a parte que me cabia" e sentindo que é o meu dever ressentir-me de cada insulto e de cada injustiça.

Estou totalmente convencido de que uma das maiores lições que um homem pode aprender é a do *autocontrole*. Ninguém pode exercer grande influência sobre outras pessoas até que primeiro aprenda a exercer controle sobre si mesmo. Parece ser de particular importância quando paro e considero que a maioria dos grandes líderes do mundo eram homens que demoravam a se irritar e que o maior de todos os líderes de todos os tempos, que nos deu a maior filosofia que o mundo já conheceu, tal como estabelecido na Regra de Ouro, era um homem de tolerância e de *autocontrole*.

Nunca consegui nada sem trabalho árduo e o exercício do meu melhor julgamento, assim como sem planejamento cuidadoso e trabalho à frente do tempo. Tive que me treinar dolorosa e laboriosamente não apenas quanto ao meu corpo, mas também quanto à minha alma e ao meu espírito.

– THEODORE ROOSEVELT

Estou convencido de que é um erro grave, para qualquer pessoa, começar com a crença de que sobre os seus ombros está o fardo de "corrigir" o mundo ou de mudar a ordem natural do comportamento humano. Acredito que os próprios planos da natureza estão funcionando com bastante rapidez, sem a interferência daqueles que presumem tentar apressar a ordem natural das coisas, da natureza, ou, de alguma forma, desviar o seu curso. Tal presunção leva apenas a discussões, contendas e ressentimentos.

Aprendi, pelo menos para minha própria satisfação, que um homem que perturba e provoca mal-estar entre os seus semelhantes, por qualquer motivo, não serve a nenhum real propósito construtivo na vida. Vale a pena incentivar e construir em vez de censurar e destruir.

Quando comecei a publicação desta revista, passei a fazer uso desse princípio, dedicando meu tempo e as páginas editoriais ao que é construtivo e fazendo vistas grossas ao que é destrutivo.

Nada do que empreendi em todos os meus 36 anos foi tão bem-sucedido ou me trouxe tanta felicidade quanto o meu trabalho nesta pequena revista. Quase desde o primeiro dia em que a edição inicial foi às bancas, o sucesso coroou meus esforços com mais abundância do que eu esperava. Não necessariamente sucesso financeiro, mas aquele sucesso mais elevado e mais refinado que se manifesta na felicidade que esta revista ajudou outras pessoas a encontrar.

Descobri, por muitos anos de experiência, que é um sinal de fraqueza se um homem se permite ser influenciado contra um de seus semelhantes por causa de alguma observação feita por um inimigo ou alguém preconceituoso. Um homem não pode realmente alegar ter *autocontrole* ou a capacidade de pensar com clareza até que aprenda a formar opiniões sobre seus semelhantes, não do ponto de vista de outra pessoa, mas a partir do conhecimento real.

Um dos hábitos mais prejudiciais e destrutivos que tive de superar foi o de me deixar influenciar contra uma pessoa por alguém tendencioso ou preconceituoso.

Outro grande erro com o qual aprendi, por tê-lo cometido repetidamente, é que é um grave engano caluniar o próximo, *com* ou *sem* motivo. Não consigo me lembrar de nenhum crescimento pessoal que adquiri com meus erros que me tenha dado tanta satisfação real quanto aquele que experimentei a partir do aprendizado, até certo ponto, de segurar minha língua a menos que pudesse dizer algo gentil de meus semelhantes.

Só aprendi a conter essa tendência humana natural de "fazer picadinho dos inimigos" depois que comecei a entender a Lei da Retaliação (Lei de Talião), por meio da qual um homem certamente colherá o que semeou, seja por suas falas, seja por ações. Não sou, de forma alguma, mestre em conter esse mal, mas, pelo menos, comecei a vencê-lo de forma justa.

Minha experiência me ensinou que a maioria dos homens é inerentemente honesta e que aqueles que costumamos chamar de desonestos são vítimas de circunstâncias sobre as quais não têm controle. Tem sido uma fonte de grande benefício para mim, ao editar esta revista, saber que é uma tendência natural das pessoas viver de acordo com a reputação que seus semelhantes lhes dão.

Estou convencido de que todo homem deve passar por essa língua afiada, pela valiosa experiência de ter sido atacado pelos jornais e perder sua fortuna, pelo menos uma vez na vida, porque é quando a calamidade se apodera de um homem que ele fica sabendo quem são os seus verdadeiros amigos. Os amigos ficam no navio, enquanto os "assim chamados" se escondem, somem.

Aprendi, entre outras informações interessantes sobre a natureza humana, que um homem pode ser julgado com muita precisão por meio do caráter das pessoas que ele atrai para si. Aquela velha frase axiomática "pássaros da mesma plumagem voam juntos" é uma boa filosofia.

Em todo o Universo, essa Lei da Atração, como pode ser chamada, atrai, de forma contínua, para determinados centros, coisas da mesma natureza. Certa vez, um grande detetive me disse que essa Lei da Atração era sua principal segurança para caçar criminosos e aqueles acusados de violar a lei.

Aprendi que o homem que aspira a um trabalho público deve estar preparado para sacrificar muito e resistir a abusos e críticas sem perder a fé ou o respeito por seus semelhantes. De fato, é raro encontrar um homem empenhado em servir às pessoas cujos motivos não sejam questionados pelas mesmas pessoas a quem seus esforços mais beneficiam.

O maior servidor que o mundo já conheceu não apenas ganhou a má vontade de várias pessoas de seu tempo – uma má vontade da qual muitos dos tempos atuais se tornaram herdeiros –, mas, além disso, perdeu a vida. Eles o pregaram em uma cruz, perfuraram o seu corpo com uma lança e o torturaram com crueldade, cuspindo em seu rosto enquanto sua vida se esvaía lentamente. Ele nos deu um exemplo excelente e poderoso a seguir em suas últimas palavras, que foram mais ou menos assim: "Perdoai-os, Pai, porque eles não sabem o que fazem".

Quando sinto meu sangue subir à cabeça, de raiva, por conta dos males que meus semelhantes me fazem, encontro conforto na bravura e na paciência com que o grande Filósofo observou os seus algozes enquanto eles o matavam lentamente, por nada além de ter tentado ajudar seus semelhantes a encontrar a felicidade.

Minha experiência me ensinou que o homem que, em vez de apontar o dedo acusador para si mesmo, acusa o mundo de não lhe dar a chance de ter sucesso no trabalho que escolheu raramente encontra seu nome na lista dos bem-sucedidos.

Uma "chance de ter sucesso" é algo que todo homem deve buscar e criar para si mesmo. Sem certo grau de agressividade, uma pessoa não é capaz de realizar muito neste mundo, ou adquirir qualquer coisa que outras pessoas cobiçam muito. Sem combatividade, um homem pode herdar facilmente a pobreza, a miséria e o fracasso, mas, se ele se apodera do oposto, deve estar preparado para "lutar" pelos seus *direitos!*

Mas note bem que estamos dizendo seus "direitos"!

Os únicos "direitos" que um homem tem são aqueles que ele *cria* para si mesmo em troca do serviço prestado, e pode não ser uma má ideia nos lembrarmos de que a natureza desses "direitos" corresponderá exatamente à natureza do serviço prestado.

Minha experiência me ensinou que uma criança não pode carregar um fardo mais pesado nem ser castigada com uma maldição maior do que a que acompanha o uso indiscriminado da riqueza. Uma análise detalhada da história mostrará que a maioria dos grandes servidores, das pessoas e da humanidade, eram pessoas que saíram da pobreza.

Em minha opinião, o verdadeiro teste de um homem é dar-lhe riqueza ilimitada e ver o que ele fará com ela. A riqueza que tira o incentivo para se engajar em um trabalho construtivo e útil é uma maldição para aqueles que dela usufruem. Não é a pobreza que um homem precisa observar – é a riqueza e o poder que a acompanha, criado pela riqueza, para o bem ou para o mal.

Considero muito afortunado ter nascido na pobreza, ao passo que em meus anos maduros tenha me associado intimamente a homens ricos, pois assim tive uma demonstração muito justa do efeito dessas duas condições opostas. Sei que não precisarei me vigiar tão de perto enquanto as necessidades comuns da vida me confrontarem, mas, se eu ganhasse grande riqueza, seria absolutamente essencial para mim ver que isso não me tiraria o desejo de servir aos meus semelhantes.

Minha experiência me ensinou que uma pessoa normal pode realizar qualquer coisa possível de realização humana, com ajuda da mente humana. A coisa mais grandiosa que a mente humana pode fazer é *imaginar!* O chamado gênio é apenas uma pessoa que criou algo que foi definido em sua mente, por meio da imaginação, e depois transformou essa imagem em realidade, por meio da ação material.

Um homem fica aliviado e alegre quando coloca o seu coração no trabalho e faz o seu melhor; mas o que ele disser ou fizer de outra forma não lhe dará paz.

– EMERSON

Tudo isso, e um pouco mais, aprendi durante os últimos 36 anos, mas a maior lição é aquela velha, velha verdade da qual os filósofos de todos os tempos nos falaram: a *felicidade* é encontrada não na posse, mas no serviço útil. Essa é uma verdade que só podemos apreciar depois de a descobrirmos por nós mesmos!

Talvez existam muitas outras maneiras pelas quais eu poderia encontrar maior felicidade do que a que recebo em troca do trabalho que dedico à edição desta pequena revista, mas, francamente, não as descobri, nem espero descobri-las.

A única coisa que consigo pensar que me traria uma medida maior de felicidade do que a que já tenho seria um número maior de pessoas para servir por meio desta pequena mensageira de bom humor e entusiasmo.

Acredito que o momento mais feliz da minha vida foi vivido algumas semanas atrás, enquanto eu fazia uma pequena compra em uma loja em Dallas, no Texas. O jovem que estava esperando por mim era bastante sociável, falante e pensativo. Ele me contou tudo sobre o que estava acontecendo na loja – fiz uma espécie de "visita aos bastidores", por assim dizer – e acabou me revelando que o gerente da loja deixara todo o seu pessoal muito feliz naquele dia, prometendo-lhes um Golden Rule Psychology Club e uma assinatura de *Golden Rule Magazine*, de Napoleon Hill, com os cumprimentos da loja. (Não, ele não sabia quem eu era.)

Isso me interessou, naturalmente, então perguntei quem era esse Napoleon Hill de quem ele estava falando. Ele olhou para mim com uma expressão inquisitiva no rosto e respondeu: "Você quer dizer que nunca ouviu falar de Napoleon Hill?". Confessei que o nome me parecia bastante familiar, mas perguntei ao jovem o que fazia com que o gerente da loja desse a cada um de seus funcionários uma assinatura anual da *Golden Rule*, e ele disse: "Porque a edição do mês transformou um dos homens mais ranzinzas que já tivemos por aqui em um dos melhores colegas de trabalho desta loja, e o meu chefe disse que, se fosse para isso, ele queria que todos nós lêssemos a revista".

Não foi o apelo ao meu lado egotista que me deixou feliz ao apertar a mão do jovem e dizer quem eu era, mas o apelo àquele lado emocional mais profundo que sempre é tocado em todo ser humano quando descobre que o seu trabalho está proporcionando coisas boas, felicidade para as outras pessoas.

Esse é o tipo de felicidade que modifica a tendência humana para o egoísmo e ajuda na evolução do trabalho de separar os instintos primitivos e a intuição nos seres humanos.

Sempre argumentei que um homem deve desenvolver autoconfiança e ser um bom divulgador de si mesmo, e vou provar que pratico o que prego sobre esse assunto afirmando ousadamente que, se eu tivesse uma audiência tão grande quanto a do *The Saturday Evening Post*, que eu poderia servir mensalmente por meio desta revista, poderia realizar mais, nos próximos cinco anos, no sentido de influenciar as pessoas a lidarem umas com as outras tendo como base a Regra de Ouro, do que todos os outros jornais e revistas juntos fizeram nos últimos dez anos.

Os enormes poderes recém-descobertos, industriais e políticos, que os trabalhadores adquiriram podem ser desperdiçados por um uso imprudente em paralisações e greves desnecessárias. Se o trabalho é sempre pensado como uma força controladora da nação em si mesmo, deve deixar de ser pensado nos termos de classe, como se tem feito até agora.

– CLYNES, LÍDER SINDICAL INGLÊS

Esta, a edição de dezembro da *Golden Rule*, marca o final do nosso primeiro ano, e sei que não será considerado como uma vaidade ociosa quando eu disse aos meus leitores que as sementes que plantamos nestas páginas durante estes doze meses estão começando a brotar e a crescer em todos os Estados Unidos, no Canadá e em alguns países estrangeiros, e que alguns dos maiores filósofos, professores, pregadores e homens de negócios da época não apenas nos prometeram apoio moral, como realmente foram e conseguiram assinaturas para nós, a fim de ajudar a promover o espírito da boa vontade que estamos pregando.

É de se admirar que o seu humilde editor esteja feliz?

Existem homens que têm mais, muito mais a mostrar da riqueza mundana em seus 36 anos de experiência do que este escritor, mas não tenho medo de desafiar todos eles a mostrarem um sortimento maior de felicidade que a que desfruto como resultado do meu trabalho.

É claro que pode ser apenas uma circunstância sem sentido, mas, para mim, é bastante significativo que a maior e a mais profunda felicidade que experimentei tenha vindo desde que comecei a publicar esta revista.

"Tudo o que o homem semear, isso também ceifará."

Sim, a citação veio da Bíblia e é uma filosofia profunda que sempre funciona. E, de maneira conclusiva, os meus trinta anos de experiência provaram-na.

A primeira vez que pensei em ter e editar uma revista, há cerca de quinze anos, minha ideia era criticar tudo o que era ruim e esmiuçar severa e detalhadamente tudo de que eu não gostava. Os deuses do destino devem ter feito uma intervenção para impedir que eu iniciasse tal empreendimento naquela época, porque tudo o que aprendi em meus 36 anos de experiência corrobora plenamente o teor da citação acima.

Você nunca pode se tornar um grande líder, nem uma pessoa de influência nas causas justas, até que tenha desenvolvido um forte *autocontrole*.

Antes que possa prestar um grande serviço aos seus semelhantes em qualquer área, você deve dominar a tendência humana comum de raiva, intolerância e cinismo.

Quando você permite que outra pessoa o deixe com raiva, está permitindo que essa pessoa o domine e o arraste para o nível dela.

Para desenvolver o *autocontrole*, você deve fazer um uso generoso e sistemático da filosofia da Regra de Ouro; deve adquirir o hábito de perdoar aqueles que o incomodam e o deixam com raiva.

A intolerância e o egoísmo são péssimos companheiros para o *autocontrole*. Esses sentimentos sempre se chocam quando você tenta mantê-los juntos. Um ou outro deve sair.

A primeira coisa que o advogado astuto geralmente faz quando começa a interrogar uma testemunha é irritá-la e, assim, levá-la a perder o autocontrole.

A raiva é um estado de insanidade!

A pessoa equilibrada é aquela que demora para se irritar e que sempre permanece fria e calculista em seus procedimentos. Ela permanece calma e ponderada em todas as condições.

Essa pessoa pode ter sucesso em todos os empreendimentos legítimos! Para dominar as condições, você deve primeiro dominar a si mesmo! A pessoa que exerce um grande *autocontrole* nunca calunia o seu vizinho. Sua tendência é construir, e não colocar tudo abaixo. Você é uma pessoa que tem *autocontrole*? Se não, por que não desenvolve essa grande virtude?

Recomendação 8

Disposição para trabalhar mais do que se é pago para fazer

Da pobreza à riqueza por meio da luta

oitava placa de recomendação na Estrada para o Sucesso é a *disposição para trabalhar mais do que se é pago para fazer*.

A história de Edwin C. Barnes, que iniciou uma jornada em East Orange, Nova Jersey, em um vagão de carga, há menos de quinze anos, conseguiu um emprego com Thomas A. Edison e agora está se aposentando com todo o dinheiro de que precisa, aos quarenta anos.

Esta é mais uma história de sucesso que nasceu da luta e da aplicação daqueles princípios básicos que escrevemos nas páginas desta revista todos os meses. O editor desta revista conhece Edwin C. Barnes intimamente, portanto está qualificado para escrever com fidelidade aos fatos sobre os atributos pelos quais o Sr. Barnes dominou a pobreza e ascendeu a uma posição de respeito entre os homens em um período relativamente curto.

– EDITOR

Há dez anos entrei no escritório de Edwin C. Barnes, na cidade de Chicago, para fazer uma pergunta simples sobre um assunto pelo qual o Sr. Barnes não estava, de forma alguma, interessado.

Aconteceu que conheci o Sr. Barnes pessoalmente enquanto ele passava pela sala de espera do seu escritório.

Se eu viver até os 150 anos, nunca me esquecerei da maneira como ele parou e entrou em todos os detalhes em resposta às minhas perguntas.

Eu queria saber se a fábrica do Sr. Edison iria produzir uma série de discos fonográficos para mim, que eu pretendia usar no curso de oratória.

Não, o Sr. Barnes não acreditava que a fábrica do Sr. Edison estava produzindo discos especiais, mas, talvez, pudesse indicar alguém que me atendesse, então colocou o seu chapéu e me levou em seu automóvel para ver um concorrente a muitos quilômetros de distância, em outra parte da cidade.

Não havia a menor chance de essa atitude trazer algum tipo de vantagem comercial para o Sr. Barnes, e ele sabia disso, portanto é razoável supor que ele me prestou esse serviço apenas porque era da sua natureza prestar serviços a quem e onde fosse preciso, independentemente de retornos imediatos ou posteriores para ele.

Naturalmente, a cortesia do Sr. Barnes fez muito "sucesso" comigo. Comecei a estudá-lo porque acreditava que valia a pena seguir os passos dele. Percebi que uma atmosfera de cordialidade e entusiasmo permeava seus escritórios. Vi que cada um dos seus vendedores e seus estenógrafos, sua atendente e todos os demais pareciam felizes por estar ali.

Isso foi há dez anos. Arrisco dizer que, se você entrasse em um dos escritórios do Sr. Barnes hoje, nas cidades de Chicago, St. Louis ou Nova York, sem avisar, e pedisse algum favor, você teria a mesma impressão que tive há dez anos; em outras palavras, arrisco dizer que você estaria em um escritório onde a cortesia seria oferecida, porque os que a ofereceriam acreditam nela.

O Sr. Barnes conquistou a confiança de Thomas A. Edison e fez com que o Sr. Edison lhe desse um emprego. Se me lembro bem, o salário era inferior a 25 dólares por semana. Pouco depois, ele ganhou ainda mais a confiança do Sr. Edison e conquistou o escritório do "Ediphone" (*Edison Dictating Machine*) para a cidade de Chicago. Não sei o *modus operandi* exato pelo qual ele convenceu o Sr. Edison, mas tenho certeza de que todos os que conhecem o Sr. Edison concordarão plenamente com isto: ele não conquistou nada sem que tenha produzido resultados e prestado mais e melhores serviços do que era realmente pago para prestar. Tenho certeza de que, para começar, ele não argumentou sobre horas trabalhadas ou pagamento, e tenho certeza de que ele dedicou muito mais tempo ao trabalho do que foi combinado.

Desde o início, o Sr. Barnes adotou a política de nunca vender um ditafone "Ediphone" que não fosse necessário ou um único ditafone a mais do que o que fosse indispensável para lidar eficientemente com as demandas do comprador. Algumas vezes, os seus vendedores, na ânsia de multiplicar as planilhas de cálculos de vendas, convenciam um cliente a comprar em excesso. Constantemente o Sr. Barnes examinava essas transações, detectava o erro e dava ao vendedor a chance de se desfazer das vendas antes que ele se desfizesse do vendedor e também do escritório para o qual trabalhava.

Homem de personalidade marcante, amigável, simpático e entusiasta, o Sr. Barnes era um vendedor inato e muito hábil, mas nunca poderia ter tido tanto sucesso se não fosse por meio da prestação de mais serviços do que era contratado para realizar. Esse princípio parecia vir de modo natural. Isso fazia parte dele.

Não foi fácil estabelecer os negócios do Sr. Barnes. Os ditafones eram uma novidade havia doze ou quinze anos, e era necessária a melhor das melhores equipes na arte de vender para negociá-los, e ainda uma das melhores equipes na arte da persuasão para fazer com que as pessoas aprendessem a usá-los depois de adquiridos. Na verdade, esses equipamentos economizavam praticamente metade do tempo do estenógrafo, mas, como aconteceu com todas as outras novas invenções, do barco a vapor à máquina voadora, as pessoas "tinham que ver para crer".

Edwin C. Barnes vendeu praticamente toda a produção de "Ediphones" fabricados nas grandes indústrias de Thomas A. Edison, em East Orange, Nova Jersey. Quando penso nele, não posso deixar de refletir sobre o tempo que passei conversando informalmente com sete "sem sorte" desprovidos de prosperidade que entrevistei em Chicago há alguns anos, um deles graduado pela Universidade de Yale. Todos esses caras reclamaram que "o mundo não lhes dava uma chance".

Pensei em Edwin Barnes enquanto eu conduzia essas conversas e me perguntei se o mundo tinha dado a ele alguma oportunidade ou chance melhor do que deu aos sete homens que eu estava entrevistando e que culparam o mundo pela causa dos seus fracassos.

Sua chegada em East Orange não foi muito pretensiosa. Ele havia ido para lá "às cegas", encontrou o Sr. Edison, fez com que ele o ouvisse e teve a chance de provar que não acreditava que o mundo lhe devesse uma vida melhor.

A história do Sr. Barnes é exatamente igual à de qualquer outro homem que tenha sido bem-sucedido. Ele prestou serviços primeiro e depois recebeu por eles. Em vez de esperar que o mundo girasse e lhe desse a vida que pertencia a ele, foi e prestou ao mundo um serviço que lhe rendeu uma fortuna, e isso enquanto ele ainda é um homem relativamente jovem.

Não sei quanto vale o patrimônio do Sr. Barnes, mas é algo considerável. Ele mora na Flórida, onde leva uma vida tranquila na maior parte do ano. O restante do tempo é gasto em visitas a seus sócios que ainda conduzem os seus negócios de marketing do "Ediphone" nas cidades de Chicago, St. Louis e Nova York.

Uma coisa interessante aconteceu há poucos dias e vai trazer uma informação adicional sobre o modo de Barnes fazer as coisas. Vim de Chicago ao nosso escritório em Nova York, mas no caminho parei para ver o Sr. Barnes em seu escritório na Broadway. Eu estava com a minha bagagem de mão. Deixei-a no escritório dele enquanto fui em busca de um lugar permanente para morar, pois vim para Nova York para ficar. Quando eu estava saindo, ele me chamou de volta e disse: "Nós fechamos o escritório às seis horas. Se você não estiver de volta nesse horário, levarei a sua bagagem para o seu hotel para você, se me telefonar e disser onde estará hospedado".

E ele quis dizer exatamente o que disse. Pense nisso: um homem com sua riqueza, posição e sucesso se oferecendo para carregar minha bagagem! Ele acredita na teoria de que aquele que seria grande entre nós primeiro deveria prestar o melhor serviço, ser o melhor servo. O serviço, prestado com o espírito certo, não deixa de elevar a pessoa que o presta. O Mestre disse isso há dois mil anos, e todo homem bem-sucedido poderia dizer o mesmo. Barnes teve sucesso porque ele *serviu* bem. Ele não tem medo de levar pancadas ou de fazer qualquer outra coisa que precise ser feita para vencer desafios.

Nós lutamos pela fama e a conquistamos; e, veja! Como um sopro fugaz, ela se perde no reino do silêncio, cujo governante e rei é a Morte.

Recentemente, em uma reunião da organização Thomas A. Edison, na qual o Sr. Barnes e mais de cem dos representantes de Edison estavam presentes, aconteceu um incidente que traz uma informação adicional muito interessante sobre Barnes e Edison.

O "gênio" acabara de receber uma insígnia comemorativa de seda. O discurso de apresentação foi feito por George M. Austin, da Filadélfia. O Sr. Edison deveria responder, mas, em vez disso, o seu discurso foi lido por seu filho, Charles Edison. Enquanto o filho lia o discurso, o Sr. Edison tirou o sapato direito, pegou um canivete e cortou um pedaço do couro, que estava pendurado na sola.

A multidão que observava o inventor fez uma pausa e, em seguida, eclodiu em uma explosão de gargalhadas.

O inventor riu e disse:

Derrotando o aproveitador

"Fui a Nova York comprar um par de sapatos e descobri que eles estavam pedindo entre dezessete e dezoito dólares o par. Fui até Cortlandt Street e em um depósito notei um monte de sapatos. Vi um par que me surpreendeu e o comprei por seis dólares. Tenho usado esse par de sapatos há quase um ano."

Perto do Sr. Edison estava Edwin C. Barnes, chefe da divisão de Nova York, Chicago e St. Louis.

Edison apontou para Barnes e disse:

"Barnes não teria feito dessa forma. Ele teria ido na Broadway e pago dezessete a dezoito dólares o par."

"Sim, mas eu os usaria por três ou quatro anos", respondeu Barnes.

"Ed Barnes paga 6 ou 7 dólares por um chapéu", disse o Sr. Edison, "enquanto eu iria para Nova York ou Newark e pagaria US$ 2,75 por um."

Então, Edison apresentou vários pedaços de papel amarelo e disse que todas as noites ele escrevia uma lista do que pretendia fazer. A lista de hoje continha 57 assuntos diferentes que ele esperava tratar.

"Se todos tentassem fazer isso por seis meses, seria uma surpresa ver o quanto poderia ser realizado em dez horas", disse o Sr. Edison.

Com toda a sua riqueza, com todo o seu sucesso e seus inúmeros amigos, que vão desde homens como o ex-presidente Theodore Roosevelt até Napoleon Hill, o Sr. Barnes permanece democrático e acessível a qualquer pessoa que queira vê-lo. Nem mesmo uma secretária particular se coloca entre a porta de seu escritório e a sala de recepção. A secretária dele está ocupada cuidando de assuntos mais importantes do que afastar as pessoas que querem encontrar o Sr. Barnes. Sua teoria é a de que, se alguém vier ao seu escritório para vê-lo, essa pessoa o está honrando ao fazer isso, portanto ele será um bom profissional, com espírito esportivo, e dará a essa pessoa um momento para escutá-la, não importa qual seja o motivo.

Cada vez que penso em Barnes, penso no Senado dos Estados Unidos. Ele é exatamente o tipo de homem de que precisamos em Washington. Ele acredita em servir, ser útil, em vez de ser servido, e, se o povo da Flórida tivesse a sorte necessária para levá-lo a aceitar uma posição como senador, eles teriam motivos para parabenizar a eles mesmos, porque Barnes seria, de fato, um servo enquanto estivesse em Washington.

Acredito que o Senado poderia muito bem incluir alguns, trabalhadores de verdade, com a habilidade empresarial do Sr. Barnes e cuja integridade é irrepreensível. Parece-me que não seria de forma alguma hostil aos interesses do povo se tivéssemos mais alguns homens de negócios bem-sucedidos no Senado e menos políticos profissionais que fossem lá com o único propósito de negociar favores políticos.

Barnes seria esse homem. Ele tem a habilidade. Ele tem a personalidade para fazer a sua presença ser percebida em qualquer grupo de homens. Ele tem a coragem de lutar onde a luta é necessária e a diplomacia para negociar onde a negociação é melhor.

Cidadãos da Flórida, recomendamos a vocês o seu cidadão Edwin C. Barnes, de Bradentown, Flórida, e podemos dizer que vocês terão muita sorte se conseguirem que ele concorde em servi-los como senador dos Estados Unidos, porque ele os servirá tão bem e com tanto sucesso quanto serviu a Thomas A. Edison.

* * *

Se este escritor não está enganado, há somente uma base justa sobre a qual negociar o serviço pessoal: a base da compensação proporcional à *qualidade* e à *quantidade* do serviço prestado.

Um homem trabalha em um torno mecânico, recebendo, digamos, cinco dólares por dia por seus serviços. Ele está nesse cargo há vários anos. Chega outro homem e começa a trabalhar no torno mecânico ao lado dele. Ele está nesse cargo há poucos dias. Ele faz exatamente o mesmo trabalho, mas produz um quarto a mais do que o homem que está lá há vários anos.

Quem deve receber os salários mais altos?

A resposta é óbvia! O tempo que um funcionário está no seu emprego nada tem a ver com o salário que ele deve receber. Se assim fosse, o velho zelador que cuida do prédio em que tenho meus escritórios receberia um salário muito maior do que o superintendente do prédio, porque está aqui há dez anos, enquanto o superintendente está no cargo há menos de seis meses.

Há uma coisa importante para você lembrar ao negociar os seus serviços: *a sua eficiência em seu trabalho e o seu valor para o seu empregador podem ser determinados com muita precisão pelo tempo de supervisão de que você precisa.* Se você precisar de pouca supervisão, provavelmente será muito eficiente. Se não demandar supervisão alguma, provavelmente atingiu o auge da eficiência no trabalho que está fazendo, portanto o próximo passo é assumir uma função que acarrete maiores responsabilidades.

Você também deve ser capaz de entender que não está apto a receber muito por seus serviços até que esteja preparado para assumir grandes responsabilidades. Os altos salários são pagos a homens que podem assumir responsabilidades de forma eficiente e satisfatória e liderar outros.

É impossível para qualquer homem ganhar 25 mil dólares por ano apenas com as mãos, mas ele pode valer quatro vezes mais se puder assumir a liderança de milhares de outras pessoas e puder ajudá-las a melhorar a sua eficiência e a capacidade de usar as suas mãos.

As duas principais qualidades que tiraram milhares de homens das bases do trabalho comum e os colocaram em cargos executivos de responsabilidade são:

Primeiro: a habilidade e a disposição para assumir grandes responsabilidades.

Segundo: a capacidade de ajudar outros homens e mulheres a realizar um trabalho mais eficiente, orientando-os de maneira inteligente em seus esforços.

Isso não é um mero axioma idealista – *nós recebemos o que damos!* Essa é uma verdade profunda e fundamental sobre a qual todos os homens de sucesso trabalham. O homem que *tira* o máximo proveito da negociação dos seus serviços é aquele que *dá* mais àqueles para quem trabalha, quer seu trabalho seja administrar a si mesmo com pouca ou nenhuma supervisão, quer seja ajudar outras pessoas a direcionar seus esforços de maneira inteligente.

Não é o homem que pode dispor de mais detalhes com suas próprias mãos que é procurado para os cargos mais altos – é o homem que tem a habilidade, além do bom senso, para fazer com que outras pessoas cuidem dos detalhes. Se você está almejando um dos cargos "superiores", não seria bom começar agora mesmo a ensinar as outras pessoas a lidar com os detalhes do trabalho atual?

Se você está na mesma posição há muito tempo e seu salário permanece o mesmo, é mais do que provável que você não tenha buscado a oportunidade de assumir grandes responsabilidades, e também é bastante provável que agora necessite de tanta supervisão quanto no passado. Essas duas qualidades funcionam como um guia se você as observar. Você pode avaliar a si mesmo, e com muita precisão, com base nelas.

Você não estará preparado para assumir responsabilidades maiores ou a liderança e a direção de outros trabalhadores até que tenha levado sua própria eficiência ao nível máximo. É provável que não consiga fazer com que as outras pessoas trabalhem mais ou melhor do que você, então desenvolva a prática de fazer!

A liderança se desenvolve a partir do bom exemplo que você dá às outras pessoas para que o sigam. Quando você começa a liderar seus colegas de trabalho em relação à *qualidade* e à *quantidade* de trabalho realizado, está no caminho para uma ocupação maior, melhores salários e maiores responsabilidades.

As dificuldades nunca são resolvidas enquanto a paixão assola. Elas nunca são resolvidas de modo permanente pelo conflito. Uma parte pode ser subjugada pelo poder, mas a sensação de erro permanecerá; o fogo da paixão adormecerá, pronto para irromper novamente na primeira oportunidade. Vamos tomar a Regra de Ouro como um guia e todas as causas de hostilidade serão removidas, todos os conflitos cessarão, e a humanidade caminhará de mãos dadas para fazer seu trabalho e colher sua justa recompensa.

Não nos lembramos de ter ouvido falar de nenhum homem sendo colocado em um grande cargo executivo em um salto, de repente, e pulando etapas, mas poderíamos citar o exemplo de centenas de executivos que ocuparam seus cargos lentamente, passo a passo, elevando gradualmente a própria eficiência e melhorando a *qualidade* e a *quantidade*, a amplitude de seu trabalho.

Quando insisto com você sobre a necessidade de *trabalhar mais e melhor do que você realmente é pago para fazer*, não o faço por motivos idealistas, mas porque sei que esse princípio é um bom negócio de sua parte. É um investimento seguro. Isso é sensato e seguro porque atrairá *automaticamente para você a boa vontade e a cooperação de todos com quem você trabalha, incluindo o seu empregador*. Se isso não chamar a atenção do seu empregador atual (o que provavelmente acontecerá), atrairá outro empregador que o procurará e irá lhe oferecer um emprego melhor.

Se não me engano, a melhor maneira de negociar os seus serviços de modo mais vantajoso é atrair um empregador por conta da realização de um trabalho melhor do que o desempenhado por um trabalhador mediano. Quando um empregador o procurar, você pode ter certeza de que poderá exigir um salário mais alto do que se você procurasse o empregador, e a única maneira de fazer com que um empregador o procure é prestando serviços que estão acima da média em quantidade e qualidade.

Isso se aplica ao homem que tem um cargo menor e deseja um cargo maior com o mesmo empregador, assim como ao homem que deseja mudar de empregador.

Tenho inveja do homem que tem o bom senso que o capacita a ver que vale a pena realizar mais trabalho, e melhor, do que ele é pago para realizar, e que o faz assumir grandes responsabilidades, em vez de empurrá-las para outros. Eu o invejo, porque ele é um em dez mil. É por isso que ele está à frente, em vez de nos primeiros passos, na base de sua vocação. É por isso que ele está recebendo uma remuneração em vez de "salário". É por isso que ele é colocado na liderança de outras pessoas.

No escritório ao lado do meu, está um jovem que ocupa o cargo de gerente de negócios desta revista. Quando ele veio para conseguir o emprego, não fez perguntas tolas como: "Qual o salário pago?", "Qual o horário de trabalho?", "Tem algum potencial?", "Quando vou conseguir um aumento de salário?", "Haverá algum tipo de trabalho noturno?".

Não, ele não fez perguntas como essas!

Ele me surpreendeu ao me contar o quanto realmente sabia sobre a revista, apesar de o primeiro número dela ter saído apenas um dia antes nas bancas. Ele disse que tinha vindo colocar em prática a Regra de Ouro e que pretendia conseguir o que queria, a menos que eu o expulsasse do escritório. Ele me convenceu de que queria aquele cargo porque acreditava no trabalho por trás dele.

Ele não perguntou quando eu lhe daria um assistente; em vez disso, perguntou: "O que eu devo fazer primeiro?".

Seu nome é W. H. Heggem!

Lembrem-se do nome se vocês quiserem, mas posso dizer a vocês, companheiros que estão constantemente à procura de pessoas ativas, que não quero que "metam o nariz" nos escritórios da *Golden Rule* tentando afastá-las de mim. Ah, você vai querê-lo, mas espere um minuto – *os ganhos dele neste ano provavelmente superarão os dez mil dólares!*

Sim, ele vale a pena, e ficarei tão feliz em pagar-lhe esse valor quanto ele ficará feliz em recebê-lo. Sou como todos os outros homens que empregam pessoas – *quero o melhor serviço e estou disposto a pagar por tudo que qualquer um dos meus funcionários puder oferecer.* Posso estar disposto a pagar mais do que eles realmente produzem, mas, por razões econômicas, não poderia continuar com isso de modo indefinido. Nenhum homem pode pagar remunerações e salários que não estejam sendo gerados pelos negócios e mantê-los indefinidamente. Os brotos da primavera podem secar, a menos que sejam cuidados e restituídos.

Se você acha que o seu empregador deve lhe pagar mais do que você está recebendo, há apenas um princípio justo para pedir esse dinheiro extra: primeiro mudar a natureza do seu trabalho e fazer com que ele traga maiores retornos para o seu empregador.

Talvez você seja contador, digamos, e não consiga ver como poderá prestar serviços que sejam melhores em quantidade ou em qualidade. Você está trabalhando muitas horas e fazendo o melhor trabalho que sabe realizar.

O que você pode fazer que lhe dará direito a receber mais do que recebe?

Existe uma dezena de linhas de procedimentos, e qualquer um deles responderia a essa pergunta, mas tentar seguir uma dezena de rotas diferentes é equivalente a não seguir nenhuma. O que você realmente quer é exatamente *o* procedimento.

Você é o contador. Você elabora os lançamentos contábeis mensais, as cartas de cobrança, e os envia pelo correio. Não é possível criar um sistema de cobrança que transforme esses lançamentos em dinheiro no caixa de modo mais rápido? Se você puder fazer isso, não é provável que o seu empregador fique satisfeito em lhe pagar proporcionalmente aos resultados que você obtém?

Você pode ampliar o escopo de suas responsabilidades realizando, de modo voluntário, mais trabalho do que simplesmente manter os livros contábeis ou emitir cartas de cobrança. Você pode fazer isso sem comprometer em nada a sua eficiência no seu trabalho de contabilidade. Elabore uma série de cartas de cobrança que criarão boa vontade em relação ao seu empregador e, ao mesmo tempo, cobrarão o dinheiro que é devido a ele.

Quase todos os executivos mais experientes podem fazer isso quando alguém lhes manda fazer e mostra como fazer, mas o que o homem que elabora a folha de pagamento quer é alguém que vê o que deve ser feito, segue em frente e o faz, sem ser mandado.

A lei da oferta e da procura estabelece certa média salarial que um contador comum pode merecer. Para receber mais do que isso, ele deve prestar algum serviço que geralmente não é prestado por um contador "comum". Em poucas palavras, deve se retirar da categoria "comum" ou, então, se contentar com salários "comuns".

Não há nada de extravagante nessa prática de prestar *mais e melhores serviços do que se é pago para prestar.* Isso é simplesmente uma prática comercial segura e legítima. É claro que, se você realizar o seu trabalho com espírito alegre e entusiasmado, provavelmente atrairá as pessoas com mais prazer.

Você estará muito mais apto a obter um grande sucesso se desenvolver uma personalidade cativante e agradável, juntamente com o hábito de *prestar mais e melhores serviços do que é pago para prestar.* Na realidade, uma personalidade agradável pode ser considerada uma qualificação necessária para o sucesso em qualquer empreendimento no qual alguém esteja servindo outras pessoas.

Recomendação 9

Personalidade cativante

A nona placa de recomendação na Estrada para o Sucesso é *personalidade cativante*.

Eu me solidarizo com o homem que anda pelas ruas em busca de emprego. Essa é a tarefa mais desanimadora que um ser humano pode realizar. Desejo, sinceramente, poder alcançar cada homem e mulher no planeta que se encontrem desempregados e dar-lhes a chave-mestra para qualquer cargo que estejam preparados para ocupar.

Direi a você exatamente o que é essa chave-mestra com as palavras que usei com um leitor da *Golden Rule* que veio me ver hoje. Ele estava desempregado. Havia visitado mais de uma dezena de empresas, mas todas o recusaram.

Pedi que ele me contasse exatamente o que dissera quando pediu emprego. Ele descreveu sua busca dizendo que simplesmente tinha entrado e perguntado se havia alguma vaga aberta. Antes de receber uma resposta, ele se adiantava e declarava que estava desempregado e que aceitaria qualquer salário razoável para começar.

Ele era rejeitado tão rapidamente quanto havia se oferecido a algum cargo.

O motivo era óbvio. Acho que o porquê é revelado pelo que eu disse a ele. Primeiro, pedi-lhe que se levantasse para que eu pudesse observá-lo exatamente como a pessoa a quem ele pedira o emprego o observou. Ele estava com um par de sapatos desgastados nos calcanhares. Usava uma boina. Por outro lado, suas roupas estavam apropriadas.

Estas foram as minhas sugestões a ele: vá e peça a um sapateiro que conserte os calcanhares dos seus sapatos. Isso lhe dará uma sensação maior de autoconfiança, algo de que você precisará. Compre um chapéu que fique bem, um apropriado, e jogue fora essa boina. Isso fará com que você se sinta um homem em vez de um garoto e lhe dará uma aparência digna, da qual necessitará.

Decida exatamente o cargo que deseja obter e a empresa para a qual deseja trabalhar. Vá e descubra tudo o que puder sobre a empresa e esteja preparado para dar alguns bons motivos pelos quais você acredita que pode contribuir no cargo que procura.

Então, vá até lá e diga o seguinte:

"Decidi assumir uma posição consigo. Você não sabe, mas é para isso que estou aqui. Quero tal e tal posição, que sei que posso ocupar de uma maneira que seja rentável para você. Estou pronto para trabalhar agora, se me disser onde vou encontrar um mancebo ou gancho para pendurar o meu chapéu e o meu casaco. *Ah, sim, o salário! Presumo que podemos esquecer disso até que você me veja no controle por uma semana. Então, se achar que mereci alguma coisa, pode colocá-la no meu envelope de pagamento.*"

Ele seguiu minhas sugestões. Em menos de duas horas, estava de volta ao meu escritório. Seus sapatos foram consertados. O seu cabelo estava aparado. Ele trocou a carranca em seu rosto por um sorriso. Eu o declarei pronto para a experiência. Ele saiu e, em menos de uma hora, me telefonou dizendo que estava trabalhando no novo emprego.

Existem diferentes ideias sobre o que é sucesso, mas, se a sua ideia de sucesso é o acúmulo de riqueza ou a prestação de algum grande serviço à humanidade, ou ambos, você provavelmente não vai alcançá-lo a menos que tenha um plano bem definido.

Nos últimos dez anos, suponho que tenha transmitido essa ideia a mais de cem pessoas, e, em todos os casos, pelo que tenho de conhecimento dos resultados, ela funcionou com sucesso.

Digo a você que o mundo dos negócios está procurando o homem que tenha confiança suficiente em si mesmo para trabalhar nesses termos. De cada 100 casos, em 99 um homem negociará, argumentará e fará todo o possível para persuadir um possível empregador a contratá-lo com o salário mais alto possível.

Existe apenas um princípio verdadeiro para o pagamento de dinheiro em troca dos serviços de uma pessoa: um homem tem direito a uma remuneração proporcional à qualidade e à quantidade do serviço que presta. A experiência que ele teve, sua idade, sua capacidade e sua posição nada têm a ver com o salário que ele deveria receber. Nada além do *serviço que ele presta* é importante.

Você não precisa ter medo da competição com homens que dizem: "Eu não fui pago para fazer isto, portanto não vou fazer". Eles nunca serão concorrentes perigosos para o seu trabalho; mas tome cuidado com o sujeito que fica em sua mesa ou bancada de trabalho até que suas tarefas sejam concluídas – tome cuidado para que esse sujeito não o "desafie em sua posição e passe na sua frente".

Em tempos prósperos como estes, não há absolutamente nenhuma razão para alguém andar pelas ruas sem emprego. Por meio dessa estratégia, seja por solicitação presencial ou por carta, qualquer homem que precise do tipo de serviços que você pode prestar está mais do que apto a dar a você uma oportunidade de avaliação.

E um teste, uma avaliação, é tudo o que você deseja. Se não se sair bem, será convidado a se retirar, quer você se proponha a trabalhar de acordo com esse planejamento ou com um salário acordado.

Muitos homens capacitados, ao se candidatarem a uma posição, ficaram intimidados com esta pergunta: "*Que experiência você já teve?*". No momento talvez não tenham muita experiência, mas, no fundo do seu coração, sabem que podem fazer o trabalho e bem. A honra exige uma resposta sincera, o que significa que a entrevista termina aí.

Se você já se deparou com esse tipo de situação, suponha que diga: "Olhe aqui – você não acredita que uma amostra do meu trabalho responderia à sua pergunta melhor do que qualquer coisa que *eu pudesse dizer sobre mim mesmo*? Naturalmente eu poderia prejudicar a mim mesmo, mas, se você me indicar um lugar para pendurar o meu chapéu e o meu casaco, posso entrar e mostrar o que posso fazer, no meu próprio tempo, e, se você não gostar do meu trabalho, não deve me pagar um centavo por ele".

Isso encerra o assunto. A maioria dos homens lhe dará a chance que você pedir.

Se tiver dúvidas sobre se essa estratégia irá funcionar, pode experimentá-la e convencer-se de que sim. Escreva uma dúzia de cartas para várias empresas. Direi a você como redigir o primeiro parágrafo, e não fará muita diferença como conduzirá o restante da carta. Escreva da seguinte forma:

"Eu decidi trabalhar para você, e uma das qualidades com as quais fui abençoado é a persistência de continuar buscando o que quer que eu vá atrás. Quero a posição de .... e que o meu salário para começar seja zero e permaneça nessa cifra até que eu me torne tão valioso que você queira me manter e me pagar proporcionalmente à *qualidade* e à *quantidade de trabalho que realizo*."

O exposto é a essência e o conteúdo que devem marcar o início de sua carta. Isso trará resultados. De doze cartas, você deve receber seis respostas positivas, se tiver cuidado na seleção daqueles a quem as enviará.

Nos parágrafos finais de sua carta, você irá, é claro, disponibilizar informações completas a seu respeito e declarar exatamente por que acredita que pode preencher o cargo que procura, fornecer referências e coisas do gênero. Isso economizará tempo e eliminará a correspondência inútil.

Doze anos atrás, um trem de carga entrou em East Orange, Nova Jersey, transportando um passageiro sem um bilhete de viagem. Ele foi à cidade de Nova Jersey com um propósito específico: conseguir um emprego com Thomas A. Edison.

Ele conseguiu o que queria! O seu nome é Edwin C. Barnes.

Seu salário inicial era de 25 dólares por semana, mas ele não continuou recebendo esse valor por muito tempo. O próprio velho Edison viu que Barnes tinha uma qualidade que o tornava desejável, não apenas como gerente de departamento, mas também como sócio em um ramo das grandes indústrias de Edison.

Essa qualidade é a mesma que este escritor mencionou no editorial da primeira página da edição de janeiro desta revista: a disposição para realizar um trabalho além do que se é pago para realizar.

Edwin C. Barnes é um amigo íntimo de seu editor, um amigo que ele admira muito, mas não é por esse motivo que o Sr. Barnes é mencionado nestas colunas. Ele é citado porque é um exemplo vivo da veracidade da estratégia de realizar um trabalho além daquilo pelo que se é pago.

Quando o Sr. Barnes se apresentou a Edison, logo após sua viagem "às cegas" que o trouxe à cidade, não havia uma vaga de emprego para ele. Uma coisa que ele disse ao Sr. Edison durante a entrevista quase lhe custou a chance de se tornar um parceiro do maior cientista e inventor do mundo, mas isso acabou sendo a motivação que deu a ele sua "avaliação". Durante a conversa, disse ao Sr. Edison:

"Você sabe que não tenho que trabalhar" – e assim que o Sr. Edison estava abrindo a porta para mostrar a ele a saída, Barnes terminou a frase: "Eu poderia morrer de fome". Isso impressionou Edison, que viu que um homem que podia brincar assim com o estômago vazio poderia se tornar um ótimo trabalhador com o estômago cheio, então o contratou sem mais questionamentos.

Não sei qual é a renda pessoal do Sr. Barnes, mas sei que sua participação na empresa Edison vale, facilmente, cem mil dólares, se não mais. Isso representa os dividendos por seus serviços, cobrindo um período de doze anos. Esse não é um valor tão bom quanto o que alguns homens conquistaram, mas é muito melhor do que o de vários outros.

O Sr. Barnes emprega muitas outras pessoas que vendem o "Ediphone". Ele sabe que nenhum vendedor deve comercializar uma única máquina a menos que ela seja necessária para o comprador. Além disso, ele faz questão de garantir que ninguém do estabelecimento venda a qualquer empresa ou pessoa mais máquinas do que as que podem ser usadas de modo econômico.

Quando um "Ediphone" é instalado, Barnes divide o lucro da máquina com o velho Edison e imediatamente se esquece da transação?

Juro pela sua vida que não!

Sua ideia é que o ditafone não foi vendido até ter servido ao comprador de forma satisfatória durante o seu tempo de uso, que são muitos anos. Todo mês Barnes envia um homem para examinar cada "Ediphone" ativo e verificar se está atendendo ao comprador satisfatoriamente.

Existem outros ditafones no mercado – provavelmente tão bons quanto o "Ediphone" –, mas, pelo que o escritor foi capaz de verificar, só existe um "Barnes-Edison Service" vendido com um ditafone.

Como sócio da fábrica de ditafones Edison, o Sr. Barnes cobre apenas três cidades: Chicago, Nova York e St. Louis. Há pelo menos uma dúzia de outras localidades nos Estados Unidos esperando que um parceiro de Edwin C. Barnes apareça e as desenvolva como afiliadas de Thomas A. Edison, assim como Barnes fez nessas três.

Os trens de carga continuam a chegar a East Orange. O Sr. Edison ainda está em atividade por lá. Se você realmente acredita no hábito de realizar um trabalho além do que é pago para fazer e está disposto a começar da mesma maneira que Barnes, pode se tornar um parceiro de Edison.

Pode ser que você não tenha interesse em entrar no negócio em que o Sr. Barnes está engajado. Provavelmente, uma parceria com Charles M. Schwab, no setor de aço, seja mais adequada para você. Ou uma parceria com a Rockefeller, no negócio do petróleo, ou com a Morgan, no setor bancário. Você pode entrar em qualquer um desses grandes empreendimentos se decidir fazê-lo.

O seu emprego atual deve ter tantas possibilidades quanto qualquer um desses. Você pode repetir o sucesso de Edwin C. Barnes sem ir trabalhar para Edison. Vender ditafones é um tipo de venda mais difícil. É difícil porque você tem que convencer a estenógrafa de que a máquina permitirá que ela execute pelo menos duas vezes mais tarefas por dia do que sem ela, e que o seu salário provavelmente será equiparado de acordo com isso. Então, você tem que convencer o homem que paga pela máquina de que não só não custa nada para ele em um ano de uso comercial, como também, na verdade, compensa pelo custo-benefício.

Nenhuma dessas tarefas é fácil de realizar, portanto você pode achar muito melhor ficar exatamente onde está. Se por acaso o seu empregador não for tão bem-sucedido quanto Edison, talvez essa condição lhe ofereça uma grande oportunidade. Ninguém disse a Barnes como convencer Edison a torná-lo sócio, e ninguém pode lhe dizer como convencer o seu empregador a fazê-lo, mas, se você decidir conseguir isso, você conseguirá, assim como Barnes. Você encontrará o caminho.

Conheço Edwin C. Barnes intimamente. Ele não tem mais cérebro ou habilidade do que muitos outros que não estão fazendo nem a metade do que ele fez. O segredo do sucesso dele não está em inteligência superior, nem em "influência", nem em "sorte", mas no hábito de fazer todo o trabalho útil que puder, sem levar em conta o dinheiro que recebe por isso.

A primeira vez que este escritor viu o Sr. Barnes, nós nos encontramos por mero acaso. Entrei em seu escritório para pedir algumas informações e aconteceu de encontrá-lo saindo do escritório. Ele não apenas me deu as informações que eu procurava, mas também me levou em seu automóvel para ver um homem que sabia mais do que ele sobre o assunto sobre o qual eu procurava informações. Ele se desviou muito do seu caminho para servir, ajudar um homem que ele nunca tinha visto antes e que provavelmente nunca esperava ver novamente.

Mas esse era o estilo Barnes! Foi esse estilo que atraiu Edison para ele. Foi esse estilo que lhe trouxe muitos grandes compradores do "Ediphone", mesmo diante da forte concorrência de outros vendedores de ditafones.

Quando um homem compra um "Ediphone" de Barnes, ele sabe que está adquirindo mais do que um simples dispositivo mecânico que toma o ditado com precisão, em qualquer velocidade e em todas as horas do dia – sabe que está recebendo um serviço que aumenta muito o valor dessa máquina. Esteja você prestando os seus serviços em um supermercado, uma mina de carvão ou algum outro lugar, pode prestar esse serviço de forma que o comprador sinta que está recebendo algo de você que ele não receberia de nenhuma outra pessoa.

Esse "sentimento" é uma das principais razões pelas quais os homens o procuram como futuro supervisor, gerente de departamento, superintendente ou sócio em seus negócios.

Você quer ter sucesso!

Todos nós queremos. Então, o que é sucesso? Na percepção deste escritor, o sucesso é a realização do seu objetivo principal na vida. Pode ser a obtenção de dinheiro ou da liderança de alguma grande causa que beneficiará a humanidade.

Um turbilhão de problemas passou por mim
Enquanto eu esperava com coragem;
Eu disse "Para onde vocês voam
Quando estão tão atrasados?"
"Nós vamos", eles disseram,
"para aqueles que se lamentam,
Que olham para a vida abatidos,
Que dizem adeus à esperança –
Nós vamos aonde somos esperados."

Recomendação 10

Pensamento acurado

A décima placa de recomendação na Estrada para o Sucesso é *pensamento acurado.*

Alcançar fama ou acumular uma grande fortuna requer a cooperação de seus semelhantes. Qualquer posição que alguém ocupe e qualquer fortuna que adquira deve ser, para ser permanente, pelo consentimento de seus semelhantes.

Você não poderia seguir em uma posição de honra sem a boa vontade da vizinhança mais do que poderia voar para a Lua, e, quanto a manter uma grande fortuna sem o consentimento de seus semelhantes, seria impossível não apenas mantê-la, mas também, primeiro, adquiri-la, exceto por herança.

O gozo pleno de dinheiro ou posição certamente depende de até que ponto você atrai pessoas para si. Não é necessário que o filósofo que vê o futuro veja que um homem que desfruta da boa vontade de todos com quem entra em contato talvez tenha qualquer coisa de sintonia com o dom das pessoas com as quais se associa.

O caminho, então, para a fama e a fortuna, ou ambas, leva direto ao coração dos nossos semelhantes.

Pode haver outras maneiras de conseguir a boa vontade de seus semelhantes que não por meio do mecanismo da Lei de Talião, mas, se houver, este escritor nunca as descobriu.

Por meio da Lei de Talião, você pode induzir as pessoas a enviar de volta o que você deu a elas. Não há suposições sobre isso – nenhum elemento de acaso –, nenhuma incerteza.

Vamos ver como podemos aproveitar essa lei para que funcione a nosso favor, e não contra nós. Para começar, não precisamos dizer que a tendência do coração humano é contra-atacar, revidar, golpe por golpe, todo esforço, seja de cooperação, seja de antagonismo.

Oponha-se a uma pessoa e, tão certo quanto dois mais dois são quatro, ela pagará na mesma moeda. Faça amizade com uma pessoa ou conceda-lhe algum ato de bondade, e ela também retribuirá na mesma moeda.

Não importa a pessoa que não responda de acordo com esse princípio. Ela é apenas a proverbial exceção. Na média, a grande maioria vai responder inconscientemente.

O homem que anda por aí com uma atitude hostil encontra uma dúzia de pessoas por dia que se deliciam em derrubá-lo, um fato que você pode facilmente constatar se já tiver tentado sair com uma atitude hostil. Você não precisa de provas de que o homem que carrega um sorriso no rosto, e que sempre tem uma palavra de gentileza para todos que encontra, é apreciado por toda parte, em todos os lugares, enquanto o tipo oposto também é comumente rejeitado.

Os seus pensamentos são servos da sua vontade. Você é o mestre em sua própria casa e pode receber os convidados que quiser. O homem molda a si mesmo por seus pensamentos como um escultor molda o barro. Pense no sucesso e você terá sucesso, será bem-sucedido – apenas se pensar que é esforçado, firme e persistente o suficiente.

Essa Lei de Talião é uma força poderosa que atinge todo o Universo, atraindo e repelindo constantemente. Você vai encontrá-la no coração do fruto do carvalho que cai ao solo e, em resposta ao calor da luz do Sol, irrompe em um pequeno ramo constituído por duas pequenas folhas, que finalmente crescem e atraem para si os elementos necessários para constituir um carvalho robusto.

Ninguém nunca ouviu falar de um fruto do carvalho que atraia para si qualquer outra coisa que não seja as células a partir das quais cresce um carvalho. Ninguém jamais viu uma árvore metade carvalho e metade choupo. O núcleo do fruto do carvalho cria afinidades apenas com os elementos que constituem um carvalho.

Cada pensamento que encontra morada na mente humana atrai elementos segundo sua espécie, seja de destruição ou construção, seja bondade ou crueldade. Você não pode manter o foco da sua mente no ódio e na antipatia e esperar uma colheita de sentimentos opostos – seria como esperar o fruto do carvalho se desenvolver e dar origem a uma árvore de álamo. Isso simplesmente não está em harmonia com a Lei de Talião.

Não importa se o mundo ri de você, leve a si mesmo a sério. A multidão ri do que não entende, ridiculariza o que não pode compreender. Muitos homens que têm o fogo dos gênios dentro de si nunca deixaram a chama acender porque temem o riso da multidão. Esqueça o que as outras pessoas pensam. O que importa é o que você pensa de si mesmo, e que você acredite em si mesmo.

Em todo o Universo, todas as coisas na forma de matéria gravitam para certos centros de atração. Pessoas com intelecto e tendências semelhantes são atraídas umas pelas outras. A mente humana cria afinidades apenas com outras mentes que são harmoniosas e têm tendências semelhantes, portanto o grupo de pessoas que você atrai dependerá das tendências da sua própria mente. Você controla essas tendências e pode direcioná-las segundo qualquer modelo que escolher, atraindo para si qualquer tipo de pessoa que desejar.

Essa é uma lei da natureza. É uma lei imutável e funciona quer façamos uso consciente dela ou não.

* * *

A pessoa que envenena a mente com pensamentos impuros comete um pecado maior do que aquela que envenena a água pura, porque uma mente envenenada se reproduz em outras mentes.

Uma breve história da mente humana

Ao nascer, a mente está em branco; um grande depósito sem nada além de espaço.

Por meio dos cinco sentidos — visão, audição, paladar, olfato e tato —, esse grande depósito é preenchido.

As impressões desses sentidos, que chegam a esse depósito antes dos doze anos de idade, tendem a permanecer lá por toda a vida, sejam elas saudáveis ou não.

Ideais e crenças que são plantados na mente jovem e ainda em formação de uma criança tendem a se tornar parte dessa criança e permanecer com ela por toda a vida.

É possível inculcar, de modo muito impressionante, na mente de uma criança, um ideal que irá conduzi-la em sua conduta ética ao longo da vida. É possível formar completamente o caráter da criança, antes dos doze ou quatorze anos de idade, de forma que seria praticamente impossível essa criança desconsiderá-lo e errar durante a vida.

A mente se assemelha a um campo grande e fértil no sentido de que produzirá uma safra conforme o tipo de semente que nele for plantada, o que significa que qualquer ideia colocada na mente e mantida lá firmemente, ao final, criará raízes e crescerá, influenciando as ações da pessoa, segundo a natureza da ideia. De maneira semelhante, assim como ervas daninhas brotam em solo fértil que não é cultivado, as ideias destrutivas encontrarão caminho nas mentes daqueles que não fizerem o plantio de ideias construtivas.

A mente não pode permanecer ociosa. Ela está sempre se esforçando para produzir e, naturalmente, trabalha com o material que chega como resultado do nosso meio, do nosso vínculo com as outras pessoas, das imagens que vemos, dos sons que ouvimos e assim por diante.

Um dos princípios mais poderosos da mente é conhecido como autossugestão, por meio do qual podemos incluir, continuamente, uma ideia em nossa própria mente e nos concentrar nela até que realmente se torne parte de nós a tal ponto que vai dominar nossas ações e determinar o movimento dos nossos corpos.

Se você tem inimigos que estão tentando enfraquecê-lo de modo insensato, sorria para eles com tolerância e observe-os cair nas armadilhas que armaram para você.

Outra característica da mente humana é o fato de se tornar uma espécie de magneto ou ímã que atrai outras pessoas que pensam, sentem e agem como nós. A mente humana tem uma forte tendência de sintonizar e formar afinidades com outras mentes com as quais está em harmonia em um ou mais assuntos.

Em todo o Universo, existe uma lei por meio da qual "semelhante atrai semelhante". É muito fácil observar essa lei em funcionamento na maneira pela qual uma mente atrai outras mentes que se harmonizam com ela.

Se essa é uma afirmação verdadeira, e sabemos que é, você não consegue ver que força poderosa tem essa lei, não consegue ver a tremenda ajuda que ela pode dar a você se for cultivada e usada de modo construtivo?

A mente humana busca o equilíbrio, o nivelamento, assim como a água procura o seu nível, e ela não ficará satisfeita até que o encontre. Vemos isso funcionando na mente do homem com gostos e tendências literárias que busca a companhia de mentes semelhantes, no homem rico que busca a companhia dos ricos e no homem pobre que busca a companhia dos pobres.

Se não fosse por essa lei, um carvalho nunca poderia brotar da bolota, porque os átomos dos quais o carvalho se desenvolve nunca seriam atraídos para um núcleo em número suficiente para formar essa árvore.

Se não fosse por essa lei, o corpo humano nunca se desenvolveria, pois as substâncias químicas, os alimentos e os nutrientes nunca seriam atraídos e distribuídos aos locais adequados para crescimento e expansão.

Se não fosse por essa lei, os elementos com os quais são produzidas as unhas dos dedos seriam distribuídos para as raízes dos cabelos, ou para alguma outra parte do corpo onde não fossem necessários.

Essa lei é tão imutável quanto a da gravitação, que mantém a Terra em seu curso e todos os planetas do Universo em seus devidos lugares.

Analise seus amigos. Se não está orgulhoso deles, não há nenhum crédito particular seu, pois *você* é o ímã que os atraiu. As nuances e tendências da *sua* mente são determinadas pela atração que reuniu ao seu redor outras mentes que se harmonizam com a sua. Se você não gosta daqueles que foram atraídos por você, troque o ímã que os atraiu e escolha outro grupo de amigos.

Uma maneira poderosa de magnetizar a sua mente de modo que atraia até você pessoas do mais alto padrão é focá-la em um princípio que segue como modelo os homens que você mais admira.

O *modus operandi* pelo qual isso é feito é muito simples e *muito eficaz!* Você pode até se inspirar no caráter de várias outras pessoas para obter a essência com a qual construir, em sua mente, esse princípio que se tornará o ímã que atrairá até você aqueles que se harmonizarem com ele.

Por exemplo, tire da vida de Washington as qualidades que você mais admirava nele; da vida de Lincoln, as qualidades que você mais admirava nele; da vida de Jefferson, as qualidades que você mais admirava nele; da vida de Emerson, as qualidades que você mais admirava nele, e assim por diante. Da composição dessas qualidades, construa um princípio – em outras palavras, veja a si mesmo tendo todas essas qualidades, não permitindo que venha à tona nenhuma ação ou pensamento que não se harmonize com esse princípio –, e logo você vai se assemelhar com essas qualidades, e, mais importante ainda, *começará a atrair para si outras pessoas que se harmonizam com essas qualidades, seja no todo ou em partes.*

O tempo é um curador perfeito de erros, falhas e descontentamentos. Se você tentou e falhou, espere! O tempo fará girar a roda do destino em direção ao sucesso novamente, se você mantiver a fé em si mesmo.

Essa não é uma mera teoria. Este escritor sabe que esse plano funciona porque – bem, pela única razão pela qual alguém sabe de alguma coisa com certeza – ele mesmo o testou!

Você coloca a essência em sua mente, e o "Grande Alquimista Oculto" trabalha nela, desenvolvendo um caráter e uma personalidade que correspondam *exatamente* à natureza do material que você fornece.

Agora você sabe como reunir esse material!

Você sabe como ser exatamente o que deseja ser, e este escritor assumirá total responsabilidade pela veracidade desse princípio. Isso dará certo para que você, e até mesmo o descrente mais inexperiente, veja que funciona com o tempo, variando de algumas horas a alguns meses, dependendo de até que ponto você concentra a mente na tarefa, até que ponto consegue visualizar *claramente* a imagem do princípio ou da pessoa que você está construindo etc.

Essa é a autossugestão sobre a qual estamos escrevendo!

É o princípio pelo qual você pode se desenvolver, se construir, ou por meio do qual pode se reinventar. Por meio desse princípio, você pode dominar o desânimo, a preocupação, o medo, o ódio, a raiva, a falta de autocontrole e o restante dessa longa série de sentimentos negativos que se interpõem entre a maioria das pessoas e a vida plena, feliz e alegre que pertence a elas por direito. Esses sentimentos negativos são as ervas daninhas que correspondem àquelas que crescem no solo fértil dos campos quando eles não são arados, cultivados e trabalhados.

Você não está lendo sobre um novo tipo de religião; isso não é uma moda passageira; não é um surto de uma mente fanática e desequilibrada. É um fato legítimo e científico que qualquer professor de Psicologia irá corroborar.

Esses são alguns dos princípios mais elementares da sua mente, expressos em palavras que sejam tão simples que um estudante de colégio possa entendê-las. Para um estudo mais detalhado dessa máquina maravilhosa que você carrega na cabeça, vá à biblioteca ou a alguma boa livraria e compre alguns livros sobre Psicologia Aplicada.

A única coisa sobre você, ou sobre qualquer outra pessoa, que realmente vale a pena é a *mente*! Esses velhos corpos que carregamos conosco não valem muito. Seja como for, eles são apenas as ferramentas pelas quais a mente opera. Eles não podem se mover um centímetro até que a mente os instrua a fazê-lo. Se você quiser entender a si mesmo, primeiro aprenda algo sobre a sua mente, e, quando tiver aprendido muito sobre a *sua* mente, *você* saberá muito sobre *todas as mentes*, porque todas funcionam exatamente da mesma maneira.

Recomendação 11

Concentração

A décima primeira placa de recomendação na Estrada para o Sucesso é *concentração.*

Quinze anos atrás, este escritor leu *Graustark*, de George Barr McCutcheon, pela primeira vez. Comecei no fim da tarde e li a noite toda. Na manhã seguinte, estava tão revigorado como se tivesse dormido. De forma nenhuma me sentia cansado. Além disso, lembro-me da história de Graustark com tanta clareza que poderia contá-la hoje tão bem quanto poderia ter contado no dia seguinte à leitura.

Anos depois, quando estava estudando Direito, fiquei acordado muitas noites por algumas horas, esforçando-me para seguir acordado enquanto lia *Evidence and Blackstone's Commentaries*, de Greenleaf. Duas horas daquela leitura era tudo o que conseguia fazer de uma só vez, e, por estranho que pareça, não me lembro muito do que li, nem mesmo no dia seguinte.

Qual foi a diferença entre os dois tipos de leitura?

A diferença era apenas esta: no primeiro caso, a história era contada em um estilo atraente e interessante, que fez com que a mente ficasse alerta e se abrisse para receber tudo o que estava sendo lido. No segundo caso, a leitura era monótona e árida, a história era contada em frases que não vibravam com vida e ritmo, consequentemente não havia nada que despertasse a mente e a preparasse para receber e registrar o que era lido.

A mente humana pode ser comparada a uma esponja. Você sabe que uma esponja seca não absorve água facilmente. Ela deve ser mantida sob a água e ter tempo suficiente para ficar saturada antes que recupere sua capacidade de absorção rapidamente. O mesmo acontece com a mente humana. Ela deve ser despertada, ou não captará as impressões que vêm dos cinco sentidos: audição, olfato, paladar, visão e tato.

Fröebel descobriu esse princípio quando inventou o sistema de ensino do jardim de infância (*kindergarten*) para ensinar as crianças pequenas a aprender despertando suas mentes e intensificando o interesse delas por meio de brincadeiras.

Se você quer se tornar um *professor* de destaque em sua escola, encontre maneiras e meios de direcionar a mente dos seus alunos para o estudo por meio da diversão. Desperte suas mentes para o assunto em questão, e eles o dominarão em muito menos tempo e em uma extensão que não seria possível de outra forma.

Se você é o supervisor, com homens e mulheres sob sua responsabilidade, encontre maneiras e meios de despertar suas mentes, de os tornar interessados na tarefa que têm em mãos, de levá-los a amar o trabalho que estão fazendo, e você será conhecido pela eficiência de seus subordinados. Elabore formas de estimular o interesse por meio da competição, permitindo bônus a quem realiza determinada tarefa em menos tempo que os demais. Esses bônus podem ter a natureza de compensação adicional, promoção a um cargo superior, folga, prêmios, certificado de eficiência ou qualquer outra coisa que pareça mais apropriada para a categoria dos trabalhadores com os quais você está lidando.

Todo homem eficiente que emprega outras pessoas sabe que não é uma mera questão de qualidade, sentimentalismo ou idealismo dar a seus funcionários um ambiente saudável e descontraído para trabalhar; é estritamente um tino empresarial.

Os produtores de leite aprenderam que as vacas dão mais leite quando mantidas em baias limpas e livres do aborrecimento de moscas e outras pragas. Todo médico sabe que uma mãe com um bebê no peito não pode nutrir adequadamente o pequenino se estiver em um estado de preocupação e ansiedade o tempo todo, não importa a qualidade e a quantidade da própria alimentação.

A mente humana, quando foca intensamente nos problemas, produz e joga no sangue o mais mortal dos venenos, e, se isso se prolongar por muito tempo, sobrecarrega a capacidade do processo de purificação do fígado, e doenças de quase todos os tipos podem surgir no corpo.

Felicidade, saúde, alegria, capacidade de reter as impressões dos sentidos e de acessá-los à vontade, todas têm sua causa, ou sede, na mente humana. Uma coisa peculiar sobre a mente é o fato de que nossas ações assumem a forma e as nuances dos nossos pensamentos. Mostre-me sobre o que uma pessoa pensa mais e analisarei com muita precisão as ações dela para você. Você não pode pensar em miséria, sofrimento, escassez e doença e ser próspero, saudável e feliz. Essas combinações simplesmente não são boas companheiras de ninguém.

Quando Shakespeare escreveu: "Acima de tudo sê fiel a ti mesmo, disso se segue, como a noite ao dia, que não podes ser falso com ninguém", ele apenas quis dizer que não poderíamos cometer erros se seguíssemos os sussurros da nossa própria consciência.

Está chegando o tempo em que todo lugar onde homens e mulheres trabalham será equipado com áreas de lazer e equipamentos apropriados para levar a mente humana a um estado harmonioso a cada poucas horas. Haverá período de folga para brincadeiras, atividades físicas e recuperação. Então, você terá menos uso para hospitais, prisões e manicômios. O corpo humano, assim como a locomotiva, deve ter atenção, descanso, reparo e revisão. Em que lugar do mundo você encontrará uma peça de maquinário capaz de suportar quase todos os tipos de abuso e falta de atenção tanto quanto o corpo humano aguentaria sem cair aos pedaços?

Talvez não seja possível que alguns dos gênios inventivos do mundo considerem lucrativo para si mesmos e extremamente valioso para a raça humana direcionar alguns de seus esforços para a descoberta de maneiras de estimular artificialmente a mente humana e despertá-la para que se torne mais alerta, e, assim, aprender a mudar de pensamentos negativos e destrutivos de preocupação, medo e ansiedade para pensamentos positivos e criativos de coragem, entusiasmo e bom humor.

Fröebel, o inventor do jardim de infância, abordou apenas superficialmente as possibilidades abertas aos educadores de hoje. O sistema de Fröebel levou quase cem anos para ganhar impulso e popularidade. Se um educador, ou qualquer outra pessoa, tomar os conceitos sugeridos neste editorial e usá-los para a elaboração de um sistema por meio do qual adultos e crianças possam transformar obrigações e trabalho em diversão, este escritor colocará essa pessoa em destaque mundial em muito menos tempo. As colunas desta revista estão disponíveis para todos que inventem meios de ajudar outras pessoas a superar as falácias e superstições que têm perseguido os passos da raça humana como relíquias da Idade da Pedra.

Qualquer coisa que faça com que as pessoas tenham pensamentos construtivos é desejável. Qualquer coisa que faça com que a raça humana se torne livre pensadora e rejeite dogmas e credos é desejável.

É claro que, no momento em que você se livra das suas correntes dogmáticas e para de acreditar em uma coisa simplesmente porque outra pessoa lhe disse para acreditar, você, automaticamente, mata aqueles parasitas que, como sanguessugas, engordam com a sua ignorância e superstição. Essas pequenas sanguessugas não vão querer que você se torne um livre pensador, porque, no momento em que você o fizer, deixará de lhes atribuir crédito. De modo geral, qualquer homem que se coloque como a última palavra de autoridade sobre determinado assunto é uma ameaça ao desenvolvimento da raça humana, um usurpador de direitos que o Criador, provavelmente, nunca pretendeu relegar a ele.

Normalmente, esses camaradas que se autodenominam líderes privilegiados, reivindicando o poder de liderar o mundo, ou qualquer parte dele, tirando-o das trevas para a luz, são nada mais, nada menos que fanáticos por um assunto ou outro, e, mais frequentemente do que o contrário, por todos os assuntos.

Uma coisa que você deve pensar é o fato de que somente aquilo que você faz por si mesmo, somente os seus pensamentos e as conclusões às quais chega com a própria mente terão valor permanente. A felicidade é algo que você não pode comprar, "pedir emprestado", implorar ou roubar. Tem que a criar em sua própria mente e não pode fazer isso até que passe a estudar a própria mente e compreendê-la.

A melhor maneira para começar a estudar a mente, e as maravilhas que você pode realizar com a sua, é com os conceitos simples que temos mencionado. Quando vir por si mesmo que o seu corpo pode realizar o dobro de trabalho, e com menos fadiga, quando envolvido em um trabalho de que você gosta, do que quando você está envolvido em um trabalho de que não gosta, você verá que se trata de um princípio que oferece grandes possibilidades. Verá que vale a pena encontrar o trabalho ao qual possa dedicar todo o coração e a alma; trabalho de que você vai gostar. Verá que esse princípio oferece grandes possibilidades ao homem que emprega outras pessoas, porque ele pode, por meio do seu mecanismo, aumentar a eficiência e agregar ao gozo de suas vidas a capacidade de ganho.

Menos retórica e mais resultados!

Você está constantemente formando o seu caráter a partir das impressões que recolhe do seu ambiente diário, portanto pode moldar o seu caráter como desejar.

Se deseja formá-lo com força, cerque-se das fotografias de grandes homens e mulheres que mais admira; pendure frases com afirmações positivas nas paredes da sua sala; coloque os livros dos seus autores favoritos sobre a mesa, onde você possa acessá-los com frequência, e leia esses livros com o lápis na mão, marcando as linhas que lhe trazem os pensamentos mais notáveis; preencha sua mente com os pensamentos mais grandiosos, mais nobres e mais elevados, e logo você verá o próprio caráter assumindo a composição e as nuances desse ambiente que você criou para si mesmo.

Minha mente insondável

O que você SABE sobre a sua própria mente? O que sabe sobre qualquer outra mente? Uma velha senhora estava acamada havia doze anos, incapaz de se virar sem ajuda. Um dia chegou àquela casa um homem que entendia um pouco, mas talvez não muito, sobre a força da mente humana. Ele reuniu os parentes da velha senhora ao seu redor e prometeu curá-la se todos eles dessem um jeito de sair de casa e avisassem a velha senhora que ela estava absolutamente sozinha.

Depois de todos terem saído, esse homem entrou discretamente no quarto, sem ser notado, e ateou fogo na cama da velha senhora. Com um grito e de um pulo só, ela pegou o seu xale e saiu correndo daquele quarto como se nada estivesse errado com ela. Daquele dia em diante, ela permaneceu fora da cama. Ela não estava presa à cama em lugar algum, exceto na própria mente, ela estava presa a si mesma – no mesmo lugar onde a maioria de nós permanece na escassez, no fracasso e na tristeza.

Aprenda a usar a sua maravilhosa mente

A mente humana é um composto de muitas qualidades e tendências. Ela consiste em gostos e desagrados, otimismo e pessimismo, ódio e amor, construtividade e destrutividade, gentileza e crueldade. A mente é composta de todas essas qualidades e muito mais. Ela é uma mistura de todas elas, algumas mostrando um desses elementos como dominante, e outras, outros dominantes.

As qualidades dominantes são determinadas em grande medida pelo ambiente, pelo treinamento, pelas pessoas ao redor e, particularmente, pelos próprios *pensamentos!* Qualquer pensamento mantido de modo constante na mente, ou qualquer pensamento enfatizado por meio da concentração e trazido para a mente consciente, muitas vezes atrai as qualidades e os sentimentos da mente humana com os quais mais se assemelha.

Um pensamento é como uma semente plantada no solo, no sentido de que traz de volta uma colheita conforme a sua espécie, se multiplica e cresce, portanto é perigoso permitir que a mente mantenha qualquer pensamento que seja destrutivo. Tais pensamentos devem, mais cedo ou mais tarde, buscar a liberação por meio da ação física.

Por meio do princípio da autossugestão – isto é, pensamentos mantidos na mente e concentrados ali –, qualquer pensamento logo começará a se concretizar em ação.

Se o princípio da autossugestão fosse compreendido e ensinado de modo natural nas escolas públicas, ele mudaria todos os padrões morais e econômicos do mundo dentro de um período de vinte anos. Por meio desse princípio, a mente humana pode se livrar de suas tendências destrutivas, concentrando-se de modo constante em suas tendências construtivas. As qualidades da mente humana precisam da luz solar para a nutrição e do uso para mantê-las vivas. Em todo o Universo existe uma Lei de Nutrição e Uso que se aplica a tudo que vive e cresce. Essa lei decreta que todo ser vivo que não é alimentado nem aproveitado deve morrer, e isso se aplica às qualidades e aos sentimentos da mente humana que mencionamos.

A única maneira de desenvolver qualquer qualidade da mente é concentrar-se nela, pensar sobre ela e usá-la. As tendências más da mente podem ser apagadas matando-as de fome pelo *desuso!*

Quanto valeria, para a mente jovem e em desenvolvimento da criança, compreender esse princípio e começar a utilizá-lo cedo na vida, desde o jardim de infância?

O Princípio da Autossugestão é uma das principais leis fundamentais da Psicologia Aplicada. Por meio de uma compreensão adequada desse princípio e com um trabalho conjunto dos escritores, filósofos, professores e oradores, toda tendência da mente humana pode ser direcionada para o esforço construtivo dentro de vinte anos ou menos.

O que *você* vai fazer a respeito disso?

Não seria uma boa ideia, no que diz respeito apenas a você, não esperar que alguém inicie um movimento pela educação geral seguindo essa linha, mas começar agora a fazer uso desse princípio para o seu benefício e o dos seus?

Seus filhos podem não ter a sorte de receber esse treinamento na escola, mas não há nada que o impeça de ministrá-lo a eles em sua casa.

Você pode não ter tido a sorte de estudar e compreender o Princípio da Autossugestão quando frequentava a escola, mas não há nada que o impeça de estudar, compreender e aplicar esse princípio por seus próprios esforços de agora em diante.

Você encontrará um curso completo de Psicologia Aplicada apresentado em série nesta revista. Tudo começou com a edição de janeiro. Volte ao início e leia esse curso. Ele é escrito em uma linguagem simples e compreensível que qualquer leigo pode absorver e aplicar.

Aprenda algo sobre essa máquina maravilhosa que chamamos de mente humana. Ela é a sua verdadeira fonte de poder. Se algum dia você se libertar de preocupações insignificantes e de necessidades financeiras, será por meio dos esforços de sua mente maravilhosa.

Seu editor ainda é um homem jovem, mas tem evidências positivas, em muitos milhares de casos, da transformação de homens e mulheres que saíram do fracasso e chegaram ao sucesso em períodos notavelmente curtos, variando de algumas horas a alguns meses.

A revista que você tem nas mãos é a prova concreta da veracidade do argumento de que o indivíduo pode controlar o seu destino financeiro, porque ela é um sucesso que foi construído a partir de quinze anos de fracasso!

Você pode transformar o seu passado de fracasso em sucesso se compreender e aplicar de modo inteligente os princípios da Psicologia Aplicada. Você pode chegar aonde quiser na vida. Pode encontrar a felicidade instantaneamente, uma vez que domine esse princípio, e poderá obter sucesso financeiro muito rapidamente em conformidade com as práticas e os princípios estabelecidos na economia.

Não há nada que cheire a ocultismo na mente humana. Ela funciona em harmonia com as leis e os princípios físicos e econômicos.

Você não precisa da ajuda de nenhuma pessoa neste mundo para manipular a sua mente, ela funcionará como você desejar que funcione. Sua mente é algo que você controla, não importa qual seja a sua posição na vida, contanto que sempre exerça esse direito em vez de permitir que outras pessoas o façam por você.

Aprenda algo sobre os poderes de sua mente. Isso o libertará da maldição do medo e o encherá de inspiração e coragem.

Recomendação 12

Persistência

A décima segunda placa de recomendação na Estrada para o Sucesso é *persistência.*

Nós fizemos uma descoberta importante – uma descoberta que pode ajudá-lo, seja você quem for, seja qual for o seu objetivo principal na vida para alcançar o sucesso.

Não é o toque de gênio, com o qual alguns homens deveriam ser dotados, que traz o sucesso!

Não é sorte, influência nem riqueza!

O mais importante, o elemento real sobre o qual a maioria das grandes fortunas foi construída – o elemento que ajuda homens e mulheres a alcançarem fama e posição elevadas no mundo –, é facilmente descrito: *é simplesmente o hábito de completar tudo o que se começa, primeiro tendo aprendido o que começar e o que não começar.*

Ao fazer um inventário de si mesmo nos últimos dois anos, digamos, o que descobrimos?

Provavelmente descobriremos que você teve muitas ideias, iniciou diversos planos, mas não concluiu nenhum deles!

Na sequência de lições sobre Psicologia Aplicada que está sendo veiculada em série nesta revista, você encontrará uma que explica a importância da *concentração*, seguida de informações simples e explícitas sobre exatamente como aprender a se concentrar.

É uma boa ideia procurar aquela lição em particular e estudá-la novamente – estude-a com uma nova ideia em mente: a de aprender como completar tudo o que você começa.

Você já ouviu isto em fraseologia axiomática desde que tinha idade suficiente para se lembrar: "A procrastinação é a ladra do tempo!". No entanto, porque ela se parecia com uma pregação, você não prestou atenção.

Esse axioma é literalmente verdadeiro!

Você não pode ter sucesso em qualquer empreendimento, seja ele grande ou pequeno, importante ou diferente, se simplesmente pensar no que gostaria de realizar e depois se sentar e esperar que a coisa se concretize sem um esforço paciente e meticuloso!

Quase todos os negócios que se destacam de modo notável, acima do desenvolvimento comum de negócios semelhantes, representam a concentração, o foco em um plano definido, ou ideia, que sofreu apenas pouca ou nenhuma variação.

O plano de promoção de vendas da United Cigar Stores tem base em uma ideia, bastante simples, mas sobre a qual o esforço concentrado foi dirigido.

As lojas de varejo Piggly-Wiggly foram criadas com base em um plano definido, por meio do princípio da concentração; o plano, por si mesmo, é simples e de fácil aplicação para outras linhas de negócios.

As Rexall Drug Stores foram estruturadas com base em um plano, por meio do auxílio da concentração.

O negócio automobilístico da Ford nada mais é do que a concentração, o foco em um plano simples, o plano de dar ao público um carro pequeno, útil e durável, pelo menor preço possível, conferindo ao comprador a vantagem da produção em série. Esse plano não foi alterado nos últimos doze anos.

A Montgomery Ward & Company e a Sears, Roebuck & Company representam duas das maiores empresas de promoção de vendas do mundo, ambas fundamentadas no plano simples de dar ao comprador a vantagem de adquirir e vender em quantidade e na política de "satisfação" do cliente ou o dinheiro de volta.

Essas duas empresas comerciais de promoção de vendas se destacam como monumentos gigantescos ao princípio de seguir um plano definido, por meio de concentração e foco.

Existem outros exemplos de grande sucesso de promoção de vendas que foram criados sobre o mesmo princípio, adotando um plano definido e, em seguida, *aderindo a ele até o fim!*

No entanto, a cada grande sucesso para o qual podemos apontar, como resultado desse princípio, podemos encontrar mil falhas ou *quase fracassos* em que nenhum plano desse tipo foi adotado.

Este escritor estava conversando com um homem algumas horas antes de escrever este editorial – um homem brilhante e, em diversos aspectos, um homem de negócios muito capaz, mas que não estava tendo sucesso pela simples razão de ter várias ideias incompletas, malplanejadas, e seguir a prática de descartar todas elas antes que tenham sido devidamente testadas.

Este escritor ofereceu-lhe uma sugestão que poderia ter sido valiosa, mas ele respondeu imediatamente: "Ah, já pensei nisso várias vezes e comecei a experimentar uma vez, mas isso não funcionou".

Observe bem estas palavras: "Comecei a experimentar uma vez, mas isso não funcionou."

Ah, aí que a falha poderia ter sido descoberta. Ele "começou" a experimentar.

Leitor da *Golden Rule*, guarde estas palavras: *Não é o homem que simplesmente "começa" algo que tem sucesso! É o sujeito que começa e que termina apesar de toda dificuldade!*

Qualquer pessoa pode iniciar uma tarefa. É preciso o chamado gênio reunir coragem suficiente, autoconfiança e paciência meticulosa para *terminar* o que começou.

Mas isso não é mérito do "gênio"; isso nada mais é do que *persistência*, boa vontade e bom senso. O homem considerado como um gênio geralmente não é, conforme Edison nos disse tantas vezes – ele é apenas um trabalhador dedicado que encontra um plano consistente e depois o segue.

O sucesso raramente, ou nunca, vem de uma vez, ou com pressa. A realização que vale a pena geralmente representa uma dedicação longa e persistente.

Lembre-se do robusto carvalho! Ele não cresce em um ano, nem em dois, nem mesmo em três. São necessários muitos e muitos anos para crescer um carvalho de tamanho razoável. Há árvores que crescerão bastante em poucos anos, mas a madeira delas é macia e porosa, e elas têm vida curta.

O homem que decide ser vendedor de calçados neste ano, muda de ideia e tenta o cultivo no ano seguinte, e depois, no outro ano, muda novamente para a venda de seguros de vida, está mais do que apto a fracassar em todas as atividades, considerando que, se ele tivesse se dedicado a uma dessas atividades por três anos, poderia ter construído uma bela história de sucesso.

Veja, sei muito sobre o que estou escrevendo porque cometi esse mesmo erro por quase quinze anos. Sinto que tenho o direito de avisá-lo de um mal que pode surgir no seu caminho, porque sofri muitas derrotas por causa desse mal e, consequentemente, aprendi a reconhecê-lo em você.

O primeiro dia de janeiro – o dia das boas resoluções – está se aproximando. Reserve esse dia para dois propósitos e você, provavelmente, ganhará muito com a leitura deste editorial.

Primeiro: adote pelo menos um objetivo principal para você mesmo no próximo ano e, de preferência, pelos próximos cinco anos, e escreva esse objetivo principal palavra por palavra.

Segundo: disponha-se a fazer com que, na primeira parte dessa sua declaração de objetivos principais, leia-se algo assim: *Durante o próximo ano, determinarei do modo mais realista possível as tarefas que terei que realizar do início ao fim para ter sucesso, e nada neste mundo deve desviar os meus esforços de terminar todas as tarefas que eu começar.*

Quase todo homem tem inteligência suficiente para criar ideias em sua mente, mas o problema com a maioria dos homens é que essas ideias nunca são *colocadas em prática!*

A melhor locomotiva do mundo não vale um centavo nem puxará um único quilo de peso até que a energia armazenada na caldeira seja liberada para o trabalho mecânico do movimento!

Você tem energia na sua cabeça – todo ser humano normal tem –, mas não a está liberando para o *movimento!* Você não a está aplicando, por meio do conceito da concentração, do foco, às tarefas que, se cumpridas, o colocariam na lista dos considerados bem-sucedidos.

Até onde este escritor sabe, a principal objeção aos cigarros é o fato indiscutível de que eles têm uma tendência clara a tornar a mente humana "entorpecida" e *inativa!* Isso é o suficiente para condená-los, porque qualquer coisa que prejudique as ações de um homem, ou a capacidade de manter a concentração e o foco em uma tarefa até que ela seja *concluída*, é prejudicial ao seu bem-estar.

Geralmente, um homem vai liberar o fluxo de *ação* que ele tem armazenado em sua mente quando estiver em conexão com uma tarefa que ele tenha prazer em realizar. Essa é a razão pela qual um homem deve se empenhar no trabalho de que mais gosta.

Existe uma maneira de persuadir essa mente maravilhosa a ceder sua energia e colocá-la em ação por meio da concentração em algum trabalho útil. Continue procurando até encontrar a melhor maneira possível de liberar essa energia. Encontre o trabalho por meio do qual você pode canalizá-la mais prontamente e com mais *boa vontade* e você estará chegando muito perto do trabalho no qual deverá ter sucesso.

Foi um privilégio deste escritor entrevistar muitos dos chamados grandes homens – homens considerados "gênios" –, e, como uma forma de encorajamento para você, quero dizer-lhe francamente que não encontrei nada neles que os homens comuns não tenham. Eles eram exatamente como nós, com nenhum cérebro a mais – às vezes, com menos –, mas o que tinham, que você e eu também temos, *mas nem sempre usamos*, era a capacidade de liberar a energia armazenada no cérebro para a *ação* e mantê-la concentrada em uma tarefa, grande ou pequena, até que ela seja *concluída*.

Não espere se tornar um adepto da concentração na primeira vez que tentar. Aprenda primeiro a se concentrar nas pequenas coisas que você faz – apontar um lápis, embrulhar um pacote, endereçar uma carta, e assim por diante.

A maneira de atingir a perfeição nessa maravilhosa arte de terminar tudo o que você inicia é desenvolver o hábito de fazer isso em conexão com cada tarefa realizada, não importa quão pequena seja. Logo isso se torna um hábito, e você acaba fazendo-o automaticamente, sem esforço.

Qual a importância que isso terá para você?

Que pergunta inútil e boba – mas ouça:

Isso significará a diferença entre o fracasso e o sucesso!

Recomendação 13

Aprendendo com os erros

décima terceira placa de recomendação na Estrada para o Sucesso é *aprendendo com os erros.*

O homem que falha!

"Oh, homens, que são rotulados de 'fracassados'
– levantem-se, levantem-se! novamente e tentem!
Em algum lugar do mundo da ação, há espaço para vocês.
Nenhum fracasso foi registrado, nos anais de homens
verdadeiros, exceto do covarde que falha e nem tenta novamente.
A glória está em fazer, e não no troféu conquistado;
Os muros que foram colocados na escuridão
podem rir do beijo do Sol.
Oh, cansado e abatido e ferido,
Oh, filho dos vendavais cruéis do destino!
Eu canto – para que por acaso possa animá-lo –,
eu canto para o homem que falha."

Não precisa haver falhas permanentes. Cada reverso e cada retrocesso pode ser transformado em uma pedra fundamental para uma base sólida de sucesso.

As falhas nos ensinam a ser tolerantes. As falhas nos ensinam a sermos persistentes. Há uma grande lição em todo fracasso, mesmo que, em um primeiro momento, não saibamos qual é.

Às vezes penso que o fracasso é o processo de têmpera da natureza por meio do qual ela prepara os homens de destino para as suas responsabilidades.

Se você puder sobreviver a repetidos fracassos em vez de cair diante deles, é uma forte evidência de que alcançará as alturas no trabalho que escolher para sua vida.

Não despreze os fracassos – agradeça a Deus pelo privilégio de testar a si mesmo sob o seu peso!

"Toda a honra para aquele que deve ganhar o prêmio,
O mundo tem chorado por mil anos,
Mas para aquele que tenta e que falha e morre,
Eu dou grande honra e glória e lágrimas.
E grande é o homem com uma espada desembainhada
E bom é o homem que se abstém de vinho
Mas o homem que falha e ainda luta
Eis que ele é meu irmão gêmeo."

Limitações – físicas e mentais

Existem dois tipos de limitações. Uma é mental, e a outra é meramente física. Essa última não deve nos preocupar muito se existe uma mente forte e sã, mesmo que essa mente esteja latente e inexplorada.

Durante minha recente turnê de palestras pelo oeste, encontrei um homem que vale muito a pena conhecer. Eu havia andado de automóvel com ele por vários quilômetros e conversado por quase três horas antes de descobrir que ele era cego.

Ele usava óculos escuros, mas, fora isso, não havia nada em sua fala ou em seus modos que indicasse uma doença como a cegueira, que pertence à categoria de limitação física.

No entanto, esse homem não tinha qualquer deficiência mental. É uma das pessoas mais fluentes que já ouvi e tem aquela habilidade rara de falar sobre assuntos que fazem pensar, analisar e concluir.

O homem sobre quem escrevo é o reverendo Wilmore Kendall, pastor da Igreja Metodista em Lawton, Oklahoma.

O Dr. Kendall é cego desde os dois anos de idade. Há alguns anos ele se apresentou na Universidade de Northwestern, em Chicago, para a matrícula. Olharam-no com espanto, e, quando ele disse que tinha apenas 35 dólares para pagar pela admissão, começaram a acreditar que alguma coisa estava errada!

E realmente estava!

É uma pena que a mesma "alguma coisa" não esteja errada com mais pessoas. A universidade recusou-se a permitir que ele se matriculasse. Ele deu a volta no quarteirão uma ou duas vezes, pensou em um plano, voltou e pediu que lhe dessem apenas três meses de avaliação, e, se ele não fosse bem, poderiam expulsá-lo.

Mais por compaixão do que qualquer outra coisa, eles lhe deram essa chance, nunca esperando, é claro, que pudesse se sair bem e persistir.

No entanto, ele os enganou!

Passou por esse período letivo, e pelos outros que se seguiram, até que se graduou. E como você acha que ele conseguiu pagar as despesas desse período de estudo?

Agarrem os braços da sua cadeira com firmeza e preparem-se para um choque, camaradas que urram, lamentam e criticam o destino por "não lhes dar uma chance" – ele pagou os seus estudos tomando nota das palestras, transcrevendo-as e vendendo-as para os outros alunos.

Pelo Eterno, esse um homem cujo exemplo alguns de nós faríamos bem em seguir. Se tivéssemos sua autoconfiança, determinação, poder de concentração e foco e força de vontade, poderíamos ascender a qualquer posição que almejássemos na vida e poderíamos consegui-la *do mesmo modo que ele conseguiu a dele!*

A seguinte notícia, recortada de um jornal diário, fala de outro caso de limitação física que em nada atrapalhou o sucesso.

Anos atrás, um menino de quinze anos caiu debaixo de um comboio na região do cobre (uma área de Michigan). Ele saiu do hospital sem um tostão. Suas pernas abaixo dos joelhos haviam sumido. Seu braço esquerdo, também. A mão direita era apenas um toco. Parecia que ele não tinha outro lugar para ir a não ser o abrigo de indigentes; não tinha nada para esperar, a não ser um túmulo na vala comum.

Nenhum homem pode ter fé verdadeira em Deus e ainda assim não ter autoconfiança, uma verdade que se torna cada vez mais clara com o passar do tempo e com a mente que começa a se expandir.

Ontem, Michael J. Dowling, presidente da Associação de Banqueiros de Minnesota, candidato a governador do estado, contou como o menino escapou tanto do abrigo de indigentes quanto da vala comum. Pois o menino que era aleijado cresceu, virou um adulto – bem-sucedido. Apoiado em pernas artificiais, a manga esquerda do casaco preenchida por um braço artificial, ele falou sobre sua filosofia de vida à Associação Comercial em almoço no Hotel La Salle.

"O único aleijado permanentemente indefeso é o homem com uma cabeça avariada", disse Dowling. "E em minhas viagens encontrei mais avariados sem cura – fisicamente capazes em outras funções – do que aqueles que têm deficiências físicas. O homem que perdeu braços, pernas ou olhos pode ser um membro útil da sociedade se lhe for dada a oportunidade de preparar a si mesmo para o trabalho; sua deficiência física não o impede de atuar. Não há motivos para que tal homem não se case e seja o centro e o suporte de uma família feliz. Pernas e braços de madeira não são herdados – apenas cabeças duras são passadas de geração a geração. Eu tenho três filhas – não há madeira nem cabeças duras na anatomia delas. Tenho tido um sucesso razoável. Não há razão para que qualquer pessoa com deficiência física, cujo coração e a mente estejam em ordem, não tenha sucesso."

O Sr. Dowling está certo – "o único aleijado permanentemente indefeso é o homem com uma cabeça avariada". Não conheço nenhum remédio para isso. No entanto, muitos sofrem da falta de evolução mental e poderiam ter sucesso se descobrissem as possibilidades dentro de suas mentes.

Se você perdeu um ou dois braços, ou mesmo ambas as pernas e os dois braços, ainda há muito o que fazer no mundo se não tiver perdido o controle mental sobre si mesmo.

Estou firmemente convicto de que poderia viver sem o uso de minhas pernas, meus braços e até mesmo meus olhos se minha mente permanecesse intacta e minha língua fosse deixada livre para falar com meu "Ediphone".

Sinto-me profundamente envergonhado quando penso no reverendo Kendall, de Lawton, Oklahoma. Sem o uso dos seus olhos, ele está fazendo, e tem feito, muita coisa boa no mundo, e, com o domínio pleno dos meus olhos e de todas as outras faculdades físicas, realizei tão pouco.

Quando você se sentir inclinado a ter pena de si mesmo, vá e procure um homem como Kendall e receba dele uma boa injeção de "ânimo". Isso vai lhe fazer bem.

Construtores de álibi

Um dos erros mais comuns é encontrar uma desculpa ou criar um álibi para explicar o motivo pelo qual não conseguimos alcançar sucesso.

Isso seria ideal se não fosse pela tendência universal de olhar para todos os lugares, exceto para o lugar certo onde encontrar essa desculpa: no espelho mais próximo.

No ano passado, tivemos um homem em nossa equipe que tinha a melhor seleção de motivos para tudo o que *ele não conseguiu realizar*.

Ele não está mais conosco!

Ele veio e saiu, juntando-se às fileiras daqueles incontáveis milhões que formam 95% das pessoas do mundo: os companheiros que *não tiveram sucesso*.

Se você perguntasse a sua versão da história, ele, sem dúvida, diria que não havia nada de errado com *ele*; seu problema era que esta revista não apreciava um bom sujeito como ele!

É preciso um homem corajoso – um grande homem másculo – um homem honesto – para se olhar diretamente no rosto e dizer: "Estou olhando para o sujeito que está entre mim e o sucesso – saia do caminho para que eu possa passar!". Não há muitas dessas pessoas, mas, onde quer que você encontre uma, encontrará alguém que está fazendo coisas valiosas, que está servindo ao mundo de forma construtiva e útil.

Acusar outras pessoas por seu fracasso e sua pouca sorte pode dar certa satisfação, mas essa prática certamente não tende a melhorar a nossa posição na vida.

Eu sei, pois devo confessar que tentei apenas o suficiente no meu tempo para descobrir que não iria funcionar!

Tenho em mente um amigo bastante querido que trabalha muito próximo de mim no mundo dos negócios. Eu o conheço bem o suficiente para me sentir privilegiado em dizer a ele exatamente o que acredito ser a sua principal limitação, mas, até o momento, os únicos resultados têm sido ouvi-lo encontrar em mim uma falha que se iguale a cada uma que encontro nele.

E, talvez, ele esteja certo; talvez eu tenha mais defeitos do que ele, *mas o grande detalhe que quero que os leitores destas linhas entendam, lembrem-se e façam uso, é este: não faz diferença quais defeitos esse sujeito possa encontrar em mim ou nas outras pessoas, ele vai afundar ou nadar, levantar ou cair, por seus próprios méritos, e, a menos que pare de construir álibis e comece a desenvolver seu caráter, olhando-se diretamente em seu rosto, vai acabar exatamente onde todos os criadores de álibi terminam: no monte de sucata do fracasso!*

Todos gostamos de ser lisonjeados, mas nenhum de nós gosta de ouvir a verdade sobre as nossas falhas. Alguma bajulação é algo muito bom. Exorta-nos a empreender mais, mas muito disso nos faz cair na inércia.

Se eu não tivesse inimigos, seria necessário sair por aí e dar um soco no olho de alguém e fazer alguns, porque preciso de alguém para me manter na linha; para me impedir de ficar satisfeito comigo mesmo; para me manter na defensiva de uma forma ou de outra. Quando me defendo, fico mais forte, desenvolvo minha habilidade estratégica e me mantenho em forma para lutar, para que, quando eu precisar lutar, saiba lutar.

Não lhe fará bem algum perder tempo procurando defeitos naqueles de quem você não gosta, ou naqueles que foram corajosos o suficiente para apontar os seus defeitos para você, ou naqueles que o ultrapassaram no jogo da vida e estão tendo sucesso, enquanto você falhou. Eles têm defeitos, não se engane, mas o tempo que você gasta provando isso é tempo perdido, porque você não pode fazer uso dessa evidência depois de a encontrar. É muito melhor que gaste esse tempo se autoavaliando, para descobrir o motivo de não ter tido sucesso e verificar como pode eliminar os defeitos que lhe foram apontados.

Você não vai gostar tanto quanto apreciaria os aplausos de amigos indulgentes e admiradores, mas isso vai levá-lo a um lugar melhor em longo prazo.

O caminho do sucesso é o caminho da luta!

Volto, mais uma vez, para chamar sua atenção por alguns minutos sobre um assunto que me marcou profundamente durante os últimos anos.

As conclusões a que cheguei foram as únicas a que um homem de mente aberta poderia ter chegado. Tenho visto tantas evidências da veracidade do princípio que passarei a você, mais uma vez, que posso recomendá-lo como sendo digno de sua sincera consideração.

Se um tijolo pudesse falar, sem dúvida reclamaria quando fosse colocado em um forno em brasa e queimado por horas; no entanto, esse processo é necessário para dar ao tijolo a durabilidade que o fará resistir ao ataque dos fenômenos da natureza.

O lutador deve sofrer uma grande punição antes de estar pronto para entrar no ringue e encontrar um adversário; no entanto, se ele falhar ao receber essa punição e se preparar para a batalha final, ele certamente pagará com a derrota.

Meu filhinho acaba de entrar assustado em meu escritório, com as pernas bambas e lágrimas nos olhos. Ele acabou de sofrer uma queda dura há pouco, enquanto tentava se equilibrar naquelas perninhas.

Ele está aprendendo a andar. Nunca andaria se não sofresse muitas quedas e continuasse tentando.

A águia constrói seu ninho bem acima do topo das árvores, em algum penhasco acidentado, onde nenhum homem ou animal predador pode alcançar seus filhotes. Mas, depois de tomar todas as precauções para protegê-los, ela os sujeitará a outro perigo assim que acreditar que eles estão prontos para aprender a voar. Vai levá-los até o limite das rochas, empurrá-los e *"fazê-los voar"*. Claro, ela está lá para dar esse salto junto, e, se eles estiverem muito fracos para voar, ela se lançará sob eles, os pegará em suas garras, os levará de volta para o ninho e irá esperar mais um ou dois dias, e, então, irá lançá-los novamente. Esse é o único modo pelo qual as águias jovens aprenderiam a voar – *por meio da luta!*

É mais vantajoso ser um ouvinte atento do que um falador fluente

E, conforme o tempo e a experiência começam a ampliar minha visão para o funcionamento silencioso da natureza, não posso deixar de perceber que há uma mão que nos guia e nos empurra para a luta para que possamos emergir com mais conhecimento do que precisamos saber na vida.

A Lei da Compensação é implacável em seu trabalho de ajudar o homem a se elevar cada vez mais por meio da luta! Um atleta se torna um atleta apenas com a prática, o treinamento e a luta, assim como um homem se torna um realizador apenas com a *prática!* Alguns homens aprendem fácil e rapidamente, enquanto a natureza acha necessário partir o coração de outros antes que eles deixem suas marcas nas paredes do tempo.

De volta aos meus primeiros dias, antes de ter aprendido a ler muito o que a natureza havia escrito para os meus olhos, muitas vezes me perguntei quando, onde e como eu me encontraria; como saberia quando tivesse me encontrado; como saberia quando encontrasse o trabalho da minha vida.

Desconfio que isso tenha preocupado muitos outros.

A todas essas pessoas, trago uma mensagem de segurança e esperança. Você pode ter certeza de que, enquanto o fracasso, mágoas e adversidades surgem em seu caminho, a natureza está lutando com você, tentando mudar o curso da sua vida. Ela está tentando desviá-lo do rumo do fracasso para o caminho principal do sucesso.

Leia o parágrafo acima novamente!

Quando você está infeliz, malsucedido e com problemas, alguma coisa está errada! Essas condições da mente são os indicativos da natureza lhe mostrando que você está lutando na direção errada.

Não se engane sobre isso. A natureza sempre aponta o caminho, e *você saberá quando estiver seguindo na direção certa, com a mesma certeza com que sabe quando coloca a mão em um fogão em brasa.* Se você está infeliz, não ignore o fato de que esse é um estado de espírito não natural – que você tem direito à felicidade –, um sinal claro de que *há algo errado em sua vida!*

Quem sabe o que é esse "algo" que está errado?

Você sabe! Somente você pode saber!

Algumas almas – e elas são realmente raras – seguem a orientação da natureza com facilidade e prontidão. A Grande Luta, para essas pessoas, não é tão dolorosa. Elas respondem prontamente quando a natureza as toca no cotovelo com um golpe de adversidade; mas a maioria de nós precisa ser punida severamente antes de começar a perceber que está sendo punida.

Os princípios pelos quais o sucesso material e financeiro, por exemplo, pode ser alcançado são comparativamente simples. Eles foram publicados na edição de março desta revista, sob o título "A grande escada mágica para o sucesso". Existem dezesseis degraus nessa escada, e cada um deles é simples e fácil de alcançar, mas o preço que deve ser pago em troca dessa conquista é a luta – luta a cada passo dado para subir.

Nada é conquistado sem que algo seja dado em troca!

Você pode ter o que quiser nesta vida se pagar o preço com luta, sacrifício e esforço inteligente. Nessa medida, você pode se valer do poder da Lei de Talião, por meio da qual você *recebe* exatamente o que você *dá!*

Quando um estranho, ou um homem cujo histórico você não conhece, aparece nos portões do seu trabalho e pede que você se submeta à sua liderança, não custa pelo menos se dar ao trabalho de compará-lo com o homem à frente do trabalho, para ver quem parece ser o líder mais adequado.

Pare de se preocupar e se afligir com os seus problemas e as suas adversidades e agradeça ao Criador por ele, sabiamente, ter colocado esses indicativos no seu caminho para ajudá-lo a se corrigir. O estado de espírito normal e esperado é a felicidade. Tão certo quanto o sol nasce no leste e se põe no oeste, a felicidade virá para a pessoa que aprendeu a mudar o seu curso quando chega a um marco de fracasso, adversidade e remorso.

A maioria de nós já ouviu falar de certa palavra chamada “consciência”, mas poucos, de fato, aprenderam que ela é um mestre alquimista que pode transformar os dejetos e os resíduos dos metais do fracasso e da adversidade no puro ouro do sucesso.

Isso é verdadeiro! Não figurativamente, mas *literalmente*.

Quanto mais difícil parece a sua luta, mais evidências você tem de que precisa ser trabalhado.

Quando a adversidade, o fracasso e o desânimo parecem encará-lo de maneira mais impiedosa, deixe-me dar a você este preceito por meio do qual é possível derrotá-los: *Mude a sua atitude com os seus semelhantes e dedique todos os seus esforços à tarefa de ajudar as outras pessoas a encontrar a felicidade. Em sua luta, que é o preço que você deve pagar à natureza em troca do seu trabalho de autotransformação, você encontrará a felicidade por si mesmo.*

Para conquistá-la, você primeiro deve doá-la!

Não desdenhe desse conselho simples e caseiro. Ele vem de quem experimentou o preceito, sabe que funciona e, portanto, tem o direito de falar com fidelidade aos fatos.

Depois de você ter encontrado a felicidade; depois de ter dominado aquilo que chama de "temperamento" e de ter aprendido a olhar para todos os seus semelhantes com tolerância e compaixão; depois de ter aprendido a sentar-se e a fazer um inventário do seu passado com alma e serenidade, você verá, claramente, tanto quanto pode ver o sol em um dia claro, que a natureza o fez lutar como o único meio de ajudá-lo a encontrar o seu caminho fora da escuridão.

Você saberá, então, que encontrou a si mesmo. Saberá, também, que a luta tem o seu propósito nesta vida. Saberá que o Criador o levou até a beira do penhasco e o empurrou, assim como a águia mãe empurrou os filhos dela, para que você pudesse aprender a voar!

Então, você estará em paz com toda a espécie humana, porque verá que a luta que teve de travar como consequência da oposição de seus semelhantes foi o treinamento de que você precisava para encontrar o seu lugar no mundo. Também verá que *você*, e não os seus semelhantes, foram a causa dessa luta.

Este é, provavelmente, o melhor editorial que já escrevi, mas tenho certeza de que apenas aqueles que já sabem o que é lutar, que já sabem o que é falhar, que viram o sucesso surgir a partir do pior tipo de fracasso, irão apreciá-lo por todo o seu valor!

As outras pessoas irão apreciar isso mais adiante, depois de terem encontrado a adversidade, o fracasso e o desânimo; depois de descobrirem, assim como eu, que a luta é a maneira da natureza de treinar as pernas trêmulas dos seres humanos para que aprendam a andar.

Pequenos começos criam grandes finais

Na cidade de Lawton, Oklahoma, vive um homem a quem desejo dirigir a sua atenção.

Seu nome é J. Hale Edwards, e ele é presidente do Lawton Business College.

Agora, o que me move a escrever este breve editorial é que esse homem, Edwards, tem certas qualidades que você e eu, e todas as outras pessoas, devemos desenvolver antes que possamos ter sucesso.

Em primeiro lugar, ele sabe que o sucesso não pode ser alcançado sem o preço que o sucesso sempre exige. Ele sabe que não se pode *receber* a menos que se *dê* primeiro!

No entanto, mais importante do que isso, ele aprendeu a lição que tantas outras almas nunca aprenderiam: os grandes *sucessos* têm um pequeno *começo!*

Fui a Lawton para falar aos cidadãos da cidade, no Auditório Público, sob os auspícios da escola do Sr. Edwards. Naquela plateia havia uma multidão tão boa de pessoas como eu nunca tinha tido o prazer de conhecer. Se eu não tivesse conhecido o Sr. Edwards, poderia ter dito, pela plateia que ele atraiu, que tipo de pessoa ele era.

Eu não tinha visto sua escola até o dia seguinte ao meu discurso.

Naturalmente, eu esperava encontrar uma escola de negócios grande e elaborada, como as que podem ser encontradas em quase todas as cidades do tamanho de Lawton, com uma grande equipe de professores. A julgar pelo tamanho e pela qualidade da plateia que o Sr. Edwards atraiu para ouvir o meu discurso, eu teria imaginado que sua escola também fosse grande.

No entanto, não era!

O que não apresentava em tamanho, estou convencido, porém, compensava em *qualidade!*

O corpo docente era formado por Sr. Edwards e sua esposa.

Os móveis eram de madeira simples, sem verniz, do tipo caseiro, mas, pelo que pude ver, serviam ao propósito tão bem como se fossem feitos de ouro puro.

Se você não pode ser presidente dos Estados Unidos, levante a mão e reivindique o próximo lugar MAIS ALTO para si, engajando-se em algum trabalho que ajudará os homens a verem a glória de serem decentes uns com os outros.

Dou esses detalhes não como uma reflexão sobre as instalações escolares do meu anfitrião, pois, de fato, isso seria de mau gosto, mas, em vez disso, como um elogio à sua inteligência, à sua perseverança, à sua determinação, e, tão certo quanto você está lendo estas linhas, J. Hale Edwards dará um passo à frente e tomará o seu lugar entre as maiores e mais bem equipadas escolas em tempo recorde.

O homem que deseja iniciar de baixo é uma alma rara, mas, quando você o encontrar, pode ter certeza de que ele subirá até o topo à frente do sujeito que começa mais acima na escada.

Existem escolas maiores do que a do Sr. Edwards, mas duvido que elas possam dar aulas melhores. Na verdade, a configuração de espaço da escola dele tem vantagens que uma maior não tem: ele pode oferecer a seus alunos atenção individual.

Sei o que pode ser feito, mesmo com instalações simples, porque aceitei meu primeiro trabalho na Business College com um homem que tinha dois cômodos pequenos em uma residência, e todo o seu mobiliário e equipamento era suficiente para acomodar apenas cerca de uma dúzia de alunos.

Sobre a minha mesa está um manuscrito oferecido para ser publicado em nossa revista. Reconheci o nome naquele manuscrito no momento em que o vi. Ouvi esse nome pela primeira vez há cerca de vinte anos. O sujeito por trás dele se referiu a mim como "aquele caipira das minas de carvão!". Ele estava na faculdade, e eu trabalhava nas minas. Nós nos conhecemos, e ele achou uma coisa astuta me mostrar como não pertencente à sua classe.

A mente calma é uma das belas joias da sabedoria. É a recompensa por um autocontrole persistente e paciente.

Li o manuscrito. Estava repleto de um inglês esplêndido – muito melhor, na verdade, do que eu poderia escrever, mas *carecia de alma!* Não carregava um pensamento que valia a pena. Assemelha-se a um copo de cerveja choca – não há "vida" nela!

O sujeito atrás daquele manuscrito não começou baixo o suficiente na escada. Parte daquela experiência com a mina de carvão, com a qual ele tentou me atormentar, teria sido boa para ele, talvez. De qualquer forma, sei que nunca é demais começar de baixo. Na verdade, acredito que seja o único lugar seguro para iniciar. É por isso que digo: "Mantenha os olhos em J. Hale Edwards, de Lawton, Oklahoma, porque ele está *disposto a começar de baixo!*".

A era mais notável de toda a História

Aqueles que vivem na época atual devem se sentir muito afortunados, porque esta é a época mais avançada e mais interessante de toda a História.

De que rico patrimônio o homem se tornou herdeiro, de acordo com a experiência deste escritor, durante os últimos trinta anos.

Vimos o nascimento do automóvel, da máquina voadora, do telefone, da telegrafia sem fio, do submarino (com suas possibilidades de trabalho na extração de minerais, combustíveis e outros recursos naturais do fundo do mar), dos raios X, da máquina de escrever e de uma miríade de outras invenções úteis que ajudam o homem a controlar e usar as forças do Universo.

No entanto, mais maravilhosa do que todas essas invenções mecânicas foi a descoberta da mente humana e de suas possibilidades. Começamos a entender como superar o medo, a preocupação, o desânimo e a pior de todas as condições negativas da mente: a superstição. Descobrimos que "nada é tão bom ou ruim, mas o pensamento o torna assim".

A raça humana agora está fazendo experiências com a mente humana. Em todas as grandes descobertas, o desdobramento vem primeiro pela experimentação, depois pela aplicação e prática. Em breve, entenderemos muito sobre essa máquina maravilhosa chamada mente humana; então, daremos nosso grande passo à frente na eliminação de doenças, ódio, desentendimentos entre a espécie humana e a sequência de outros pesos da humanidade.

Aqueles de nós que têm até cinquenta anos ativos pela frente podem estar preparados para ver realizações maiores nesse período do que vimos nos últimos cinquenta anos. Quando a mente humana passar a se expandir, as coisas começarão a acontecer neste mundo.

A nova era na qual estamos entrando, desde o fim da Guerra Mundial, pode ser apropriadamente chamada de ciclo de descoberta da mente. A que acabou de terminar, com a guerra, pode ser chamada de ciclo das descobertas mecânicas.

A evolução funciona em ciclos! Temos um período de desenvolvimento material, e daí vem um período de expansão da mente. No início desses ciclos ou períodos de evolução, fazemos um uso tolo das ferramentas colocadas à nossa disposição, muitas vezes empregando-as de forma destrutiva. Assim como o submarino foi utilizado pela primeira vez como um precursor da morte e mais tarde será usado como um recurso de exploração e progresso, da mesma forma teremos nossos Tabuleiros Ouija, e outros artifícios mecânicos falsos, para evitar boa parte daquela grande massa desconhecida e não mapeada de fenômenos mentais para uso destrutivo durante o início deste novo ciclo de evolução mental.

O caminho do sucesso é o caminho da luta. Se o que você conquistou ou a posição que alcançou surgiu sem esforço, pode ter certeza de que não será duradouro. Lembre-se do carvalho e da abóbora. Um cresceu em uma década, a outra, em uma estação.

Que isso não nos perturbe de forma alguma! O aspecto encorajador é o fato de que realmente começamos a estudar as possibilidades da mente humana. Temos os nossos impostores, neste estudo, assim como sempre os tivemos; os companheiros que usarão essa oportunidade para se aproveitar da credulidade da humanidade; mas, de modo gradual, esses passarão, e a verdade resplandecerá em sua própria beleza, livre de requintes e ornamentos colocados sobre ela por aqueles que queriam impedir o seu uso para benefício próprio.

Teremos nossos *Sir* Oliver Lodge e nossos Conan Doyle, mas eles não devem nos perturbar de forma alguma. Esses sujeitos sentem que é um privilégio vender ficção com lucro. Não poderíamos esperar que um homem como Conan Doyle produzisse algo fora do campo da pura ficção, considerando os anos que passou criando esse tipo de material, suas histórias de detetive de Sherlock Holmes e coisas do gênero. Ao escrever essas histórias, a sua mente foi treinada a vivenciá-las não no campo da realidade, mas no mundo da imaginação.

* * *

Assim como uma pessoa que conta uma mentira indefinidamente passa a acreditar nela, o mesmo acontece com esses sujeitos que vivem no mundo da imaginação, os quais, ao final, passam a acreditar em suas próprias mentiras, retiradas do ambiente em que viveram.

Não podemos culpá-los por isso, exceto à medida que as suas tramas enganem a mente crédula em seu detrimento, fazendo com que se torne desequilibrada.

A verdade finalmente tornará essas coisas impossíveis. Devemos aprender mais sobre as possibilidades da mente humana, e, embora eu não tenha certeza, ainda suspeito fortemente que, quando tivermos ido ao fundo da nossa experimentação e descoberta dessa abordagem, concluiremos que ninguém neste mundo pode fazer algo por nós que não possamos fazer por nós mesmos. Suspeito que descobriremos que estão latentes em nossas próprias mentes todas as possibilidades presentes em outras mentes. Suspeito que encontraremos em nossas próprias mentes todo o poder que saberemos como usar; todo o poder de que precisaremos nesta vida.

A eterna Lei da Atração

Alguns pais reclamam que seus filhos e suas filhas os preocupam por mostrarem tendência de se afastarem de casa. Fazendeiros reclamam que seus filhos são atraídos pela cidade.

A solução é simples. Torne a casa mais atraente do que o mundo exterior, e os filhos e as filhas não vão querer fugir dela. Muitos "nãos" farão com que qualquer menino ou menina busque companhia fora de casa e gradualmente se afaste dos laços familiares. Se os meninos e meninas querem música, dê-lhes música. Se querem dançar, incentive-os a fazê-lo. Descubra o que os atrai para longe de casa e, em seguida, mantenha-os em casa dando isso a eles.

A repressão naturalmente faz com que a pessoa queira cortar os laços e fugir, independentemente da natureza da repressão. A mente humana se rebela fortemente contra tudo o que é imposto a ela. Você leva as pessoas a fazerem as coisas por meio da Lei da Atração – não pela dei da coerção.

As igrejas – pelo menos algumas delas – não estão tão cheias quanto deveriam. Os ministros podem reclamar, incitar e coagir, mas, quanto mais eles fazem isso, mais vazios os bancos de suas igrejas ficam. As pessoas irão à igreja apenas quando forem atraídas para lá. Torne a programação da igreja tão atraente quanto o *show* de imagens em movimento, e os cinemas terão que fechar nas noites de domingo.

As pessoas vão ao cinema porque os proprietários estudam o que a mente humana quer *e, então, dão isso a ela!* Vale a pena fazer isso em qualquer empreendimento. Nada é tão lucrativo quanto a prestação de serviços ou o tipo de diversão que as pessoas desejam!

Algumas crianças faltam às aulas e permanecem fora da escola, enquanto outras não mostram nenhum interesse particular no que está acontecendo enquanto estão em sala de aula. A solução é simples.

Torne o sistema educacional interessante. Torne-o divertido, além de instrutivo, e, então, você *atrairá* os meninos e as meninas para a sala de aula. Eles mostrarão um maior interesse e se lembrarão do que acontece lá por muito mais tempo.

Sempre é necessário explicar erros e fracassos, mas o sucesso se explica por si mesmo, portanto dedique o seu tempo para criar um sucesso e você não precisará criar um "álibi".

Os maridos às vezes se afastam de suas esposas quando têm uma chance, enquanto outros ainda criam de modo proposital a oportunidade para fazê-lo. Quanto tempo levará para as esposas aprenderem sobre essa Lei da Atração, por meio da qual elas podem segurar seus maridos como faziam antes do casamento? Algumas esposas entendem essa lei, tornam-se cativantes, atraentes e não encontram problemas em abraçar seus maridos, mas a maioria delas ainda não a descobriu.

Alguns dos empregadores mais modernos descobriram essa lei e estão fazendo uso prático dela, tornando as empresas um lugar agradável. Nas grandes empacotadoras, nas fazendas de gado em Chicago, os empacotadores aprenderam o valor de um ambiente agradável. Belos banheiros são fornecidos para as trabalhadoras. Salas de dança com música foram fornecidas, e tudo é atraente e convidativo.

É apenas uma questão de tempo até que os empregadores aprendam, de modo geral, a providenciar locais de trabalho que sejam pelo menos tão atraentes quanto as baias que oferecem para o seu gado. Os fazendeiros e produtores de leite estão começando a aprender, pelo menos os mais modernos, que vale a pena investir para tornar os currais das vacas secos e agradáveis. Elas darão mais leite nesse tipo de ambiente.

Qualquer dia desses, graças à cooperação inteligente dos engenheiros industriais, os empregadores compreenderão o valor econômico de disponibilizar música para a hora do almoço, epigramas atraentes e quadros com mensagens positivas onde quer que os trabalhadores possam lançar seus olhares, fornecer lanches leves no meio da manhã e da tarde, quando o foco naturalmente começa a diminuir.

Durante esses dias quentes, cinquenta centavos de gelo, cinquenta centavos de limão, um jarro de água, que não custa nada, e um pouco de açúcar, transformados em uma limonada e distribuídos de trabalhador a trabalhador, seriam tão bons quanto qualquer investimento que um empregador poderia fazer. O projeto até justificaria os serviços de um menino para carregar o jarro até as pessoas a cada hora, mais ou menos, especialmente durante as tardes longas e quentes.

Até o tipo de empresário menos inteligente cuidaria para que os seus cavalos de tração fossem adequadamente hidratados; por que não usar da mesma capacidade de entendimento ao lidar com a força de trabalho das suas instalações comerciais, que é muito mais importante do que os seus cavalos?

Não seria uma má ideia algum especialista em filmes (ou algum outro americano disposto que identifica uma boa ideia quando a ouve) lançar uma série de curtas-metragens retratando, digamos, a recompensa da lealdade, o benefício do esforço laborioso, o valor da iniciativa e assim por diante, e exibir durante um recesso de quinze minutos no meio da tarde. Todos que utilizarem essa ideia também farão bem em disponibilizar algum tipo de música durante a diversão, tendo o cuidado de escolher uma que seja inspiradora e leve as pessoas de volta ao trabalho assobiando ou cantarolando ao ritmo. Esse ritmo inspiraria os trabalhadores o resto do dia, e eles fariam muito mais do que compensar os quinze ou vinte minutos usados durante o recesso.

Torne o local de trabalho atraente. Compreenda essa grande Lei da Atração e aplique-a ao seu negócio, à sua profissão ou a assuntos da sua casa.

Sempre que consegue que outra pessoa faça algo porque ela quer fazer, você está se valendo dessa lei. Essa é realmente a melhor maneira de conseguir que alguém faça algo, porque o que é realizado em resposta a essa lei nunca é com má vontade ou arrependimento.

Uma mulher pode ter o marido coagido e forçado a apoiá-la, mas a melhor maneira é atraí-lo para que ele queira fazer isso sem ser forçado.

O mesmo se aplica aos filhos que apresentam tendências de se afastar de casa. Há algo de errado em casa que não atrai e não acolhe os filhos. É verdade que esse "algo" pode ser os próprios filhos, mas, se aprofundarmos o suficiente nossa análise, suspeito que descobriremos que os pais são os culpados.

Nós, pais, não gostamos de ouvir isso sobre nós quando um garoto ou uma garota é "difícil" e se diverte com outros garotos e garotas "rebeldes", mas, se enfrentássemos o tumulto com coragem, teríamos que admitir sua verdade.

O fofoqueiro profissional jura segredo a todos e passa de sala em sala sob o pretexto de ser amigo do homem cujo caráter, reputação e futuro ele deseja destruir.

– BERNARD MEADOR

Tom Sawyer, o famoso personagem de Mark Twain, tinha a "substância" certa. Em vez de lamentar o fato de ter sido colocado para trabalhar pintando uma cerca ampla, ele fez aquele trabalho parecer tão "atraente" para os meninos da vizinhança que passou o trabalho para eles, *cobrando-lhes tantas maçãs verdes pelo privilégio de pintar tantos metros quadrados.*

Qualquer coisa que você impuser a seu filho como uma "penalidade" parecerá difícil para ele, e ele vai querer fugir disso, não importa o quão atraente o trabalho possa realmente ser se apresentado de um ponto de vista diferente.

Tudo isso, resumido em poucas palavras, pode ser expresso de uma forma muito concreta pela afirmação de que os seres humanos amam ser atraídos e odeiam ser forçados a fazer qualquer coisa.

Os cobradores fariam bem em aprender alguma coisa sobre essa lei; especialmente aqueles cujo negócio é cobrar de pessoas "à prova de julgamento" e que não podem ser forçadas a pagar. A solução aqui é "atraí-las" para que queiram pagar.

Quando aprender a aplicar essa maravilhosa Lei da Atração, você será um vendedor hábil, não importa o que tenha para vender, porque terá aprendido a rara arte da persuasão – a arte de conseguir que uma pessoa faça algo mostrando o lado atraente –, apelando ao próprio interesse do comprador.

Essa é a urdidura e a trama de toda ciência da arte de vender, quer esteja vendendo serviços pessoais, mercadorias e outros artigos, serviços profissionais em palcos, escritório de advocacia ou escritório de contabilidade, ou vendendo a si mesmo para uma futura esposa.

Se o seu *modus operandi* contempla o uso da força em vez da persuasão, você está no caminho errado, e, quanto mais cedo mudar, melhor para você. Existem duas maneiras de levar uma pessoa a fazer algo. Uma é por meio da coerção, da força e do exercício do poder; a outra é por meio da Lei da Atração. Se você não entende agora a diferença entre os dois métodos, nada mais que possamos dizer neste editorial poderia ser útil.

P.S. – Isso veio como uma reflexão posterior. Na verdade foi sugerido pela Sra. Hill, que é minha revisora e completa diversas das ideias que encontram espaço nestes editoriais. Ela sugere que eu lembre aos empregadores que pode não ser uma ideia tão ruim se eles participarem das assembleias trabalhistas com seus homens e se reunirem com eles de vez em quando para considerar meios de tornar o ambiente de trabalho mais atraente. Ela acredita que essa pode ser uma boa maneira de resolver as dificuldades antes que elas surjam.

Os homens vão se organizar de qualquer maneira. Vão ouvir a figura mais dominante entre eles. A maneira de derrotar o líder trabalhista que não é honesto com os seus seguidores, e que os está sacrificando e desencaminhando em muitos casos, é entrar direto nas fileiras dos seus homens com um líder seu que irá segurar a "isca" de um modo mais atraente.

E isso me lembra de acrescentar algumas palavras no sentido de que os empregadores, em muitos casos, são diretamente responsáveis pela alienação da lealdade de seus trabalhadores, porque eles não fazem nenhuma tentativa de liderá-los. Os homens terão líderes. Se os próprios homens não descobrem isso, *os líderes descobrem!* Faz uma grande diferença para o empregador quem é o líder, que tipo de homem ele é, se é honesto ou desonesto, se joga um jogo limpo com seus seguidores ou os explora. Também faz uma grande diferença para os próprios homens.

Em algumas comunidades, a principal diversão é tachar e pesquisar as falhas e a vida passada de um vizinho ou de um visitante ocasional.

Suspeitamos que o patrão que, por indiferença ou ignorância, permite que um líder de fora apareça e atraia a lealdade de seus homens não merece mais do que recebe.

Não é um simples acaso quando os homens entram em greve, tornam-se irracionais e exigem salários que não estão ao alcance do empregador, e outras coisas igualmente impossíveis, como às vezes eles fazem. É, ou deveria ser, uma parte da responsabilidade do empregador manter os seus homens informados sobre a capacidade da empresa de pagar os salários. Além disso, não é por acaso que encontramos homens, em alguns locais de trabalho, que são felizes, satisfeitos e trabalhadores leais! Sim, existem tais grupos, e poderia haver muitos mais se os empregadores estudassem essa Lei da Atração um pouco mais de perto.

A mente humana não tolera o controle "forçado"

Pode uma árvore e você fortalece o tronco e as raízes. Elimine o sentido da audição, e os outros quatro sentidos, ou alguns deles, serão ampliados de modo correspondente. A Lei da Compensação garante que nada seja perdido.

Você pode queimar uma árvore, mas não pode destruir aquilo que a compõe. Seus elementos voltarão à sua fonte original. Você pode transformar água em vapor, mas não pode destruí-la. Com o tempo, ela volta ao seu estado original.

O mesmo acontece com a mente humana. Ela pode ser reprimida e controlada em algumas de suas atividades, mas se tornará correspondentemente mais forte em outras direções.

Qualquer coisa que seja imposta à mente humana, contra a sua vontade, faz com que ela comece a funcionar esforçando-se para encontrar outra saída para a sua energia. Esse é um princípio que os legisladores deveriam se lembrar. A morte de reis, czares e kaisers é apenas a mais recente manifestação desse princípio em funcionamento.

O Código Penal Imperial Alemão, de 1870, foi assinado por *Bismarck* e William I. As seções de sedição citadas a seguir foram aplicadas contra jornais, organizações trabalhistas e socialistas com grande severidade por Bismarck. O resultado foi inesperado. O Partido Socialista se tornou o maior da Alemanha. E, no geral, tanta lealdade patriótica e devoção à então forma de governo criaram o fato de que um seleiro é agora presidente da república alemã, e o kaiser William II está estudando moinhos de vento na Holanda.

Seções do Código Penal Imperial Alemão – Alta Traição e Traição

Seção 81. Quem se comprometer pela força a alterar a constituição do Império Alemão ou de um estado federal, ou a sucessão da coroa assim estabelecida ***, será culpado de Alta Traição e passível de internação penal ou detenção militar vitalícia. Se houver circunstâncias atenuantes, a punição será detenção militar por, pelo menos, *cinco anos.*

Seção 82. Qualquer ato que vise diretamente à realização da intenção será considerado como um compromisso pelo qual o crime de Alta Traição é consumado.

Seção 83. Se várias pessoas concordarem com a prática de um ato de traição, mas a sua conduta não tiver constituído um delito nos termos da Seção 82, elas serão passíveis de internação penal ou detenção militar não inferior a cinco anos. Se houver circunstâncias atenuantes, a punição será detenção militar *não inferior a dois anos.*

Seção 85. Qualquer pessoa que, publicamente, perante uma multidão, ou por discurso ou cartazes afixados em lugares públicos ou exibição pública de escritos ou outras apresentações, incite a prática de um crime punível nos termos da Seção 82 será passível de internação penal ou detenção militar não superior a dez anos. Se houver circunstâncias atenuantes, a punição será detenção militar de *um a cinco anos.*

Capítulo II. Insultando um Príncipe em Sua Regência.

Seção 95. Quem insultar o kaiser, em sua regência, ou durante a sua residência no Estado Federal estará sujeito a reclusão não inferior a dois meses ou a detenção militar de *dois meses a cinco anos.*

Seção 97. Qualquer pessoa que insultar um membro da Casa Real ou o príncipe regente de seu estado *** será passível de confinamento ou detenção militar de *um mês a três anos.*

Capítulo III. Oposição ao Poder Público.

Seção 110. Qualquer pessoa que, em público, e na presença de várias pessoas, ou pela circulação de declarações, a exibição pública de cartazes ou a distribuição pública de documentos escritos ou outras apresentações incite a desobediência da lei ou de qualquer proclamação legal ou ordem dada por autoridade competente estará sujeita a multa não superior a seiscentos marcos ou a reclusão *não superior a dois anos.*

Seção 111. Quem incita, da forma acima mencionada, a prática de um ato punível, *se daí resultar um ato ou uma tentativa punível*, é igualmente responsável como incitador. *Não havendo tal resultado*, a punição será multa não superior a *um ano.* Em nenhum caso, porém, a pena excederá à prevista para o próprio ato.

Você é o resultado das palavras que fala, da literatura que lê, dos pensamentos que abriga, da companhia que desfruta e da posição na vida à qual aspira.

É possível notar que as punições do kaiser não foram tão severas quanto as aplicadas pelos juízes americanos em 1919.

Em verdade, está escrito nas Escrituras Sagradas que quem vive pela espada morrerá pela espada!

Isso se aplica a você e a mim, como indivíduos, da mesma forma que a reis, czares e kaisers. Podemos predizer qual será o nosso fim analisando o que somos agora em nossas relações com os nossos semelhantes.

Isso não é uma mera pregação! Você já ouviu isso antes, é verdade, mas possivelmente não pensou seriamente que se aplica a você. O ex-kaiser, talvez, tenha cometido o mesmo erro.

"Tudo o que o homem semear, isso também ceifará."

Não há como escapar dessa lei. Ela é tão ampla quanto o Universo. Ela governa todas as pessoas neste mundo. Às vezes, podemos contornar as leis feitas pelos homens, mas essa Lei da Compensação que se perpetua, *nunca!*

Por trás dessa lei, podemos encontrar o verdadeiro *motivo* pelo qual "vale a pena ser honesto".

Podemos nos enganar acreditando que estamos cumprindo com essa lei e, por um tempo, pode parecer que estamos fugindo dela, mas, no final, ela nos cerca e força a uma prestação de contas.

Um pouco de um modo desonesto e um pouco de experiência em mentir são bons para uma pessoa. Eles agem como testemunhas deles mesmos e apresentam suas próprias provas de que não vão funcionar.

O domínio do vapor tem sido uma coisa boa para a raça humana, porque aliviou os fardos do homem e o ajudou em seu progresso, mas o domínio da mente humana é outra questão.

O único método verdadeiro de controlar a mente humana é aquele autoimposto, com a ajuda da educação!

Instrua a raça humana; ensine aos homens e às mulheres os *porquês* e as *razões* dessas verdades que se perpetuam, que temos apresentado de uma forma axiomática em meras pregações; deixe as pessoas saberem por que "vale a pena ser honesto"; por que vale a pena ser decente com os outros; por que os atos da humanidade correspondem exatamente à natureza dos pensamentos que dominam a mente humana, e os seres humanos precisarão de menos controle. Eles aprenderão *como controlar a si mesmos*, assim como os mais inteligentes da raça humana estão fazendo agora.

Conhecimento científico suficiente foi repassado pelas páginas desta revista desde o seu nascimento, em 1918, para mudar toda a tendência da raça humana em uma única geração, se fosse sistematicamente ensinado nas escolas públicas. Havia instrução profunda e suficiente em "A grande escada mágica para o sucesso" *(The Great Magic Ladder to Success)*, na edição de março de 1920, para mudar a atitude do homem em relação ao homem em uma única geração, suficiente para que as cadeias e penitenciárias pudessem ser demolidas, ou transformadas em asilos para o tratamento daqueles que cresceram na ignorância desses princípios.

Esse não é um bálsamo que estamos dando a nós mesmos. É uma declaração conservadora de uma possibilidade, e nós a admitimos vergonhosamente.

Recomendação 14

Tolerância

A décima quarta placa de recomendação na Estrada para o Sucesso é *tolerância*.

Existem três forças que, se bem-organizadas, podem mudar todos os costumes do mundo em uma única geração!

Se um grande líder e planejador surgisse e criasse uma união dessas três forças e conseguisse fazê-las trabalhar em harmonia, as guerras poderiam ser eliminadas permanentemente, e os homens poderiam ser instruídos a sufocar os seus interesses individuais para o bem da raça, e tudo isso poderia acontecer dentro do tempo deste escritor.

Se um dia tivermos uma Liga das Nações *bem-sucedida*, ela terá de ser criada por meio dessas três grandes forças, ou não durará permanentemente nem servirá ao propósito para o qual foi organizada.

Nunca, na história dessas grandes forças, elas trabalharam em harmonia umas com as outras em qualquer conciliação. Nunca se organizaram de forma que houvesse completa harmonia de propósito nas posições individuais das três.

No entanto, os indivíduos que compõem essas três grandes forças representam os estratos mais elevados da civilização humana!

Um jogador de futebol de primeira linha, que entende o valor do trabalho em equipe e a necessidade de organização, poderia se tornar um grande líder se fosse um homem que pudesse conquistar a confiança e a cooperação dos líderes dessas três forças.

Essas três grandes forças são:

1. As igrejas do mundo;
2. As escolas públicas e privadas;
3. Os jornais e as revistas.

Infelizmente, essas três grandes forças estão divididas entre si, de modo que não há unidade de propósito nem de esforço em suas posições.

As igrejas estão divididas entre si, mas não irremediavelmente. Não há dúvidas de que todas as igrejas do mundo poderiam concordar com uma ação conjunta para promover um grande movimento que suplementaria o trabalho de cada uma e, ao mesmo tempo, estabeleceria o fundamento para uma civilização mais elevada.

O mesmo pode ser dito sobre os jornais e as revistas. Os homens do jornal sempre deram liberdade e expressaram boa vontade para apoiar todos os movimentos que visavam ao benefício das massas.

As escolas públicas e privadas, por meio de suas administrações, constituem o fator mais importante nesse trio de grandes potências, *porque os educadores entendem o princípio que estamos prestes a citar, e, ainda, que qualquer princípio pode ser incutido nas mentes dos jovens durante os primeiros anos do período escolar.*

Qualquer princípio poderia ser incutido nas mentes das crianças, de forma permanente, por meio dos esforços conjuntos dessas três grandes forças, que seria impossível apagá-lo, exceto pelo mesmo modo como foi incutido.

Um ser humano é resultado de duas causas. Uma é a hereditariedade física, e a outra é o ambiente, ou hereditariedade intelectual.

Todo trabalhador ambicioso neste mundo é, potencialmente, um empregador, porque ele está ansioso e planejando o dia em que poderá abrir o próprio negócio.

Pegue o filho de uma pessoa com pouca instrução, uma pessoa simples, logo após o nascimento, retire-o de seus pais e coloque-o em um lar moderno, sob a influência de um ambiente culto, e essa criança irá absorver a maior parte das tendências das crianças daquela casa com quem é criado. Aquilo que herdou por meio da hereditariedade física permanecerá com ele para sempre, mas, a partir do momento do nascimento, assumirá as tendências e a natureza daqueles *com quem cria vínculos de intimidade.*

Noventa e nove por cento das pessoas do mundo têm certos pontos de vista de religião, política, economia e assim por diante, porque esses pontos de vista *foram herdados de seus pais ou daqueles com quem tinham vínculos de intimidade antes de atingirem a idade de doze anos!*

Pense bem!

Você não precisa se afastar da sua própria experiência para provar a veracidade dessa afirmação.

Sendo isso verdade, você percebe a importância de selecionar com cuidado aquilo que é permitido alcançar e influenciar a mente da criança antes dos doze anos?

Você também consegue perceber como *qualquer princípio poderia ser imposto à mente da criança, por meio de esforços sistemáticos de parte de seus primeiros educadores, moldando, assim, sua mente de acordo com esse princípio?*

Aqui, nos Estados Unidos, surgiu um grande problema que nos atormenta. Tornamo-nos o caldeirão do mundo. Pessoas de todas as nacionalidades, de todos os credos e de todos os temperamentos avançam em massa às nossas fronteiras. Essas pessoas têm mentes formadas e definidas. Os pontos de vista delas não se harmonizam. O homem e a mulher criados no sul da Itália têm pouquíssimo em comum com aqueles que cresceram nos Estados Unidos. Quando eles se unem, acham-se incompatíveis.

Esse grande caldeirão – esta terra de "leite e mel" – tem atraído aquela classe de pessoas de outros países que vem das camadas mais baixas da sociedade, em sua maioria, a classe que geralmente quer o quanto pode e não dá nada em troca além do que é obrigada a dar. Uma classe que carece de cultura e requinte.

Não há nada que possamos fazer para acalmar o espírito de inquietação entre esses adultos, *mas podemos acolher sua prole impondo-lhes o princípio americano* em nossas escolas, igrejas e por meio de nossos jornais e revistas.

E qual é o nosso "princípio americano"?

Francamente, não sei! Sei o que costumava ser, há pouco mais de cem anos, mas o interesse por esse princípio em particular diminuiu consideravelmente. O princípio americano original "se esgotou" devido à nossa negligência ou falta de compreensão do fundamento da "hereditariedade social", a única fonte pela qual qualquer princípio pode ser mantido vivo e passado de uma geração para outra.

Mantivemos algumas coisas vivas, por meio desse fundamento da hereditariedade social, que bem poderíamos ter deixado cair no esquecimento. Por exemplo, poderíamos ter permitido de modo proveitoso que o nosso espírito de "intolerância" morresse com as gerações passadas, mas ele ainda está conosco, porque não houve tendência de transmitir o seu oposto à nossa prole por meio da hereditariedade social.

Em vez do velho ideal americano do qual Washington, Jefferson, Paine, Franklin e Lincoln eram exemplos, um novo princípio se desenvolveu nos últimos cinquenta anos: o desejo insano por dinheiro! Esse desejo foi passado de uma geração para outra por meio da hereditariedade social, a prole tentando seguir os passos dos pais em sua corrida para ganhar dinheiro. Os homens agora desejam se tornar milionários em vez de grandes estadistas; dedicam os esforços ao ganho pessoal em vez de trabalhar para o bem comum, como fizeram homens proeminentes de algumas gerações anteriores. Esforçamo-nos para seguir os passos de Rockefeller e Carnegie em vez de seguir os de Washington e Lincoln.

Pode ser melhor não condenar o que você não investigou a fundo, porque esse hábito é uma indicação de uma mente conduzida pela ignorância e pelo preconceito.

Este escritor levanta-se para ressaltar que precisamos de alguns Washingtons e Lincolns por agora!

A quem podemos recorrer em nossa busca por líderes altruístas que estão dispostos a sufocar os próprios interesses pessoais para o bem comum?

Na corrida que se aproxima para a presidência dos Estados Unidos, vemos cerca de oito ou dez aspirantes ao cargo, e *nenhum homem entre eles* está acima de qualquer suspeita, de um lado ou de outro, de que seu desejo para a presidência é *ganhar mais poder em vez de prestar um serviço altruísta para o bem das massas da nação.* Nenhum traço ou essência que se assemelhe, sequer remotamente, a Washington ou Lincoln foi oferecido como uma possibilidade presidencial.

No entanto, isso é fugir do nosso assunto principal. Que essa falta de traços semelhantes existe, todos concordaremos. O importante é: "Como podemos desenvolver o tipo certo de traço e essência?", e a resposta é: "Por meio do princípio da hereditariedade social!".

Por meio dos esforços combinados de igrejas, escolas e jornais, poderíamos produzir uma safra superabundante de Washingtons, Lincolns e Jeffersons em uma *única geração!*

Poderíamos fazer não apenas isso, mas também mudar todo o processo de pensamento do mundo, substituindo o desejo de *receber* pelo desejo elevado de *dar*; a tendência comum de destruir pela mais nobre de construir; o desejo egoísta de engrandecimento pessoal pelo desejo elevado de sufocar os interesses pessoais para o bem de todos.

Chegou a hora de uma *mesa-redonda reunindo todas as igrejas do mundo, todos os editores de jornais e revistas e todos os educadores!*

Quando essas três forças eliminarem a distância que separa os continentes e começarem a trabalhar em unidade, com harmonia de propósito, *o mundo, durante as próximas gerações, pode ser desenvolvido para se parecer com o que elas desejem que seja.*

Enquanto isso, há muitas coisas boas que essas potências podem fazer pelos adultos no mundo por meio do uso do tipo certo de propaganda.

Os líderes do império alemão mostraram ao mundo o que pode ser realizado, *em uma única geração*, por meio da aplicação do princípio da *hereditariedade social!*

Não esqueçamos tão cedo essa lição!

Derrotamos os alemães nos campos de batalha da Europa, mas o preço que pagamos para fazer isso foi em vão se não sucedermos essa derrota com uma vitória maior aqui em casa, pelo *poder da hereditariedade social!*

Está dentro do poder de igrejas, escolas e jornais controlar o mundo, estabelecendo um ideal novo e mais elevado nas mentes dos indivíduos por meio do princípio da hereditariedade social. Se esses três grandes líderes não agarrarem essa oportunidade maravilhosa, a responsabilidade por nosso contínuo estado infeliz recairá sobre os ombros deles.

Se igrejas, escolas e jornais unissem os seus esforços e *impusessem* sistematicamente a filosofia da Regra de Ouro nas mentes da próxima geração, as guerras, tanto entre as *nações* quanto entre *indivíduos*, poderiam ser extintas!

O desejo de *receber* sem *dar* poderia ser eliminado!

A tendência de trabalhar para ganho pessoal egoísta, em vez de sufocar os interesses pessoais para o bem da raça, poderia ser eliminada.

O "espírito da colmeia" poderia ser incutido de modo permanente na mente humana!

Há muito de tudo neste mundo para todos, mas, até que os indivíduos desenvolvam uma paixão por *ajudar* o mais fraco da raça, em vez de *explorá-lo*, alguns continuarão a ter mais do que precisam ou podem usar, enquanto a maioria permanecerá na pobreza e necessidade!

Nenhuma lei, nenhum poder de voto neste mundo podem mudar isso! A mudança só pode acontecer por meio do mecanismo do princípio da hereditariedade social.

Existem algumas abelhas em cada colmeia que morreriam de fome se não fosse pelo espírito da colmeia, no qual o indivíduo trabalha para o bem de todos. Na verdade, todas as abelhas da colmeia morreriam de fome durante o inverno se não fosse pelo espírito da colmeia, por meio do qual o mel é armazenado para o bem de todos.

Quando vejo homens tentando resolver esses grandes problemas econômicos por meio de disputas, discussões, uso de força física, partidos políticos e assim por diante, penso no cachorrinho que corre e late para um trem que passa, imaginando, de modo tolo, que pode parar o comboio.

Os próprios homens que clamam pela supremacia no mundo industrial de hoje, criticando e amaldiçoando os atuais líderes da indústria, se encontrariam no tribunal de justiça em algumas semanas se as indústrias deste país fossem entregues a eles, *porque carecem de líderes que sejam fortes em economia, e pela razão mais importante: eles não estariam dispostos a sufocar seus interesses individuais para o bem de todos, levando à discordância entre eles mesmos.*

Quem será o primeiro a sair da hierarquia e se tornar um grande planejador e líder, usando o princípio da hereditariedade social como seu colega de trabalho?

O homem que fizer isso, se for um verdadeiro líder, fará mais pela posteridade do que qualquer homem do passado que consta nos registros históricos.

Estude cuidadosamente a motivação oculta que move o homem que tenta firmar sua liderança sobre você sem o seu consentimento.

E não será possível que precisemos de mais alguns homens e mulheres que sejam altruístas o suficiente, e cuja visão seja ampla o bastante para semear uma safra de sementes saudáveis para as gerações futuras?

Nossas ideias, como nossas florestas, estão rapidamente se dissipando e se esgotando. O campo em que podem ser semeadas novamente é a mente humana, e o processo pelo qual essa semeadura pode ser feita é a hereditariedade social, ou seja, ideias que plantamos nas mentes em formação de nossos jovens! Uma geração desse uso sistemático do princípio da hereditariedade social (ou mental) elevará os nossos ideais tão alto quanto aspiramos elevá-los! Se a Alemanha impôs a "*kultur*" aos seus jovens por meio de igrejas, escolas e jornais, em uma única geração, nós podemos impor a nossa Regra de Ouro no mesmo espaço de tempo, porque o princípio é eficaz e de fácil aplicação. Cada educador, cada editor de jornal de primeira linha e cada líder de igreja entende esse poder que chamamos de hereditariedade social, mas não haverá resultados rápidos até que todos eles trabalhem em unidade, de maneira organizada.

Talvez o movimento Interchurch World (Movimento Mundial Intereclesial) ofereça o núcleo para uma organização dessas três grandes forças. Em caso afirmativo, e se o tipo certo de líder estiver disponível, esse movimento pode facilmente se tornar o de maior alcance na história mundial.

O que estou escrevendo aqui parece um empreendimento gigantesco, mas pode ser concluído por menos que o custo do Canal do Panamá, no mesmo período.

Deixe-me repetir minha afirmação para que não seja esquecida: igrejas, escolas e jornais poderiam, dentro de *uma única geração*, estabelecer um novo princípio nas mentes do mundo de forma tão completa que os homens voltariam os seus esforços para ajudar os mais fracos da raça; eles fariam isso com a mesma naturalidade com que agora exploram os mais vulneráveis. Isso poderia ser conseguido por meio do princípio da hereditariedade social – incutindo um ideal nas mentes dos jovens!

Sinto-me tentado a dizer que as escolas, sozinhas, poderiam fazer esse trabalho com sucesso. Tenho certeza de que as escolas e igrejas, em conjunto, conseguiriam cumprir a tarefa, embora pudesse ser realizada em menos tempo com o auxílio da propaganda organizada por meio de jornais e revistas.

Controle o que a criança aprende na escola, o que é ensinado na igreja e o que é publicado na imprensa, e você pode ter certeza de que o poder que gera esse controle terá, em uma única geração, o exato tipo de princípio desejado.

Homenzinhos engraçados correm de um lado para o outro, pregando isso, aquilo e outras curas para os males do mundo, poucos deles tendo a mais remota ideia de como colocar em prática o que oferecem como solução.

Eles lembram os gansos, em algazarra, batendo as asas pouco antes da hora da alimentação, resmungando porque o tratador está atrasado com a alimentação, mas sem ter a menor ideia de como apressá-lo.

Em toda essa conversa sobre uma Liga das Nações, em toda essa conversa sobre a classe trabalhadora oprimida, nem uma única solução inteligente foi oferecida, porque aqueles que tinham fórmulas esperavam de modo tolo aplicá-las à e por meio da mente adulta, dentro de alguns meses.

Suspeito que os males do mundo não surgiram da noite para o dia, mas, ao contrário, surgiram de eras e eras de esforços maldirecionados, por meio de uma aplicação cega desse princípio de hereditariedade social.

Se você PRECISA depreciar aqueles de que você não gosta, tome cuidado para não expressar verbalmente o seu descontentamento, mas o escreva – escreva-o na areia, perto da beira da água.

Suspeito que, se algum sujeito brilhante e visionário tivesse iniciado um movimento há cerca de duas ou três gerações, com o objetivo de complementar o trabalho de igrejas, escolas e jornais com uma aplicação prática da Regra de Ouro no que se refere ao mundo da economia, a história mundial seria diferente hoje.

Isso poderia ter sido feito, assim como pode ser feito agora, por meio do princípio da hereditariedade social.

O homem que oferece uma solução para os males do mundo e espera que ela aja por meio de qualquer outro princípio nada sabe sobre a natureza da mente humana!

Você pode domar um gato selvagem tirando o filhote do peito de sua mãe antes que ela tenha tempo de incutir em sua mente, por meio desse mesmo princípio de hereditariedade social, medo e oposição em relação ao homem, mas não depois. O mesmo princípio se aplica ao animal superior, o homem! Se o homem, algum dia, aprender a ser decente com os seus semelhantes, será por causa de um princípio incutido em sua mente antes de completar doze anos – não se engane quanto a isso.

Toda a pregação do mundo não vai mudar isso. O homem não teme mais o fogo e o enxofre no outro mundo; portanto, se ele tratar os mais fracos de sua raça com bondade e estender-lhes a mão amiga, fará porque deseja fazê-lo, e ele não está apto a desejar fazê-lo assim a menos que isso seja incutido em sua mente como um princípio, enquanto sua mente pode ser moldada.

A mente humana é o único grande mistério do mundo que deveria interessar aos seres humanos, porque ela, quando devidamente direcionada, pode transformar o tipo mais comum de pessoa em um gênio!

Se você compreende até mesmo os princípios elementares da Psicologia, sabe exatamente o que significa o termo hereditariedade social (ou mental); também entende a validade das sugestões no que diz respeito às possibilidades disponíveis para o mundo, por meio do esforço organizado de igrejas, escolas e jornais. Se você nunca estudou muito Psicologia, pegue alguns bons livros (aqueles escritos em linguagem simples e leiga) sobre esse assunto e informe-se. Familiarizar-se com os princípios da mente humana é compreender o único poder real neste mundo que pode ajudá-lo a chegar aonde quer que você queira ir em sua vida.

Se este editorial fizer com que você se interesse pelo estudo da Psicologia e resultar em sua leitura acerca do assunto e na reflexão sobre ele enquanto você lê, sem dúvida representará uma importante virada em sua vida.

Para lhe poupar o trabalho de procurar um bom livro sobre Psicologia, vou citar o seguinte, de Arthur Brisbane, que apareceu no *Chicago Herald-Examiner*:

"Isso é sobre o *seu* cérebro.

"Um menino rico herda um automóvel, manda o motorista trazê-lo, pouco se interessa pelo maquinário.

"Um homem que trabalhou para ganhar dinheiro para comprar um automóvel tenta saber sobre ele – isso lhe interessa.

"Nós herdamos nossos cérebros, os adquirimos prontos no nascimento. Poucos sabem mais sobre a maravilhosa máquina pensante no final da vida do que no início.

"O que quer que seja que aconteça a vocês é o poder misterioso operando por meio do cérebro. O que realmente faz o trabalho, *Alma*, como alguns dizem, *Força de Vontade*, como afirmam outros, *Reações Químicas*, como acreditam os materialistas, não podemos saber. No entanto, podemos saber sobre a máquina que vive no escuro dentro do crânio, recebendo informações do mundo externo por meio de um conjunto de nervos e, por meio de outro conjunto, emitindo ordens obedecidas por músculos e ossos.

"Leia, entre muitos bons livros sobre o assunto, '*Brain and Personality*', de W.H. Thompson, que entende do assunto. É publicado pela Dodd, Mead & Co.

"Os homens, originalmente, não sabiam que o sentimento e o pensamento residiam no cérebro. A palavra 'cérebro' não aparece na Bíblia. Quando o livro foi escrito, não havia suspeitas de que o órgão frio e cinza, isolado no crânio, tivesse algo a ver com o pensamento.

"Os babilônios, e outros mais tarde, acreditavam que o pensamento estava no fígado. Os seus sacerdotes examinavam, cuidadosamente, para obter informações sobre o futuro, fígados de animais oferecidos em sacrifício.

"Os judeus acreditavam que a alma estava localizada no coração; a mente, nos rins; as emoções moderadas, compaixão etc., nas entranhas. Portanto, a Bíblia diz que 'suas rédeas (rins) o instruem nas temporadas noturnas'. Em outro lugar é dito: 'O Senhor prova o coração e os rins', e Jeremias denunciou os hipócritas, que, disse ele, 'tinham o Senhor em suas bocas, mas não em seus rins'.

"Aristóteles concluiu que o cérebro não tinha nada a ver com o pensamento, que ele era um aparato de refrigeração, para resfriar o sangue.

"Um homem, Alcmeão, que viveu antes de Platão ou Aristóteles, ensinou que a mente estava no cérebro. Ele fundamentou a sua crença na descoberta de que a cegueira total era causada se você cortasse o nervo óptico que vai dos olhos ao cérebro. Em outros contextos, os homens exploraram a teoria até que o grande grego Galeno, médico de Marco Aurélio, a reviveu e a provou.

"Broca, cientista, falecido em 1881, foi o primeiro a compreender a máquina pensante humana. A parte do seu cérebro responsável pela fala é chamada de 'convolução de Broca'. Ele localizou a função da fala na parte posterior da terceira convolução frontal; o dano a essa parte destrói totalmente a fala. Quando aquele francês explorou com sucesso o cérebro e ensinou como ele funcionava, fez explorações mais importantes do que mil Pearys, Livingstones ou Stanleys.

"Assim como você tem dois olhos, dois ouvidos, duas mãos e dois pés, você tem *dois cérebros*. Cada cérebro é completo, distinto, e pode, se necessário, fazer todo o trabalho de pensar, assim como um olho, se necessário, pode fazer o trabalho de ver.

Dinheiro e felicidade, os dois grandes objetivos na vida, nunca foram alcançados e MANTIDOS exceto por meio da prestação de um serviço útil.

"Se você é destro, a convolução no lado *esquerdo* do seu cérebro é que responde. Se você é canhoto, é a convolução do lado direito, a destra, que responde. Se a parte da função da fala do cérebro de uma criança for destruída, o outro lado do cérebro pode aprender a desempenhar a função. Em um homem de cinquenta anos, lesão na 'convolução de Broca' destrói a fala pelo resto da vida. O cérebro fica rígido com a idade e, como um cachorro velho, não pode aprender novos truques.

"Nascemos sem nenhum conhecimento da fala. Cada novo cérebro deve aprender tudo desde o início, incluindo a fala. O aprendizado começa quando um bebê aponta a sua mão e lhe é dito o nome da coisa para a qual ele aponta. Se você amarrasse a mão esquerda de uma criança, obrigando-a a apontar apenas com a direita, a fala, certamente, seria acionada pelo lado esquerdo do cérebro. Se você amarrasse a mão direita e obrigasse a criança a apontar com a esquerda, ela seria canhota, e apenas o lado direito do cérebro teria a função da fala.

"Ver, ouvir, reconhecer nossos amigos, provar, cheirar, tudo o que fazemos tem o seu lugar separado no cérebro, como um livro tem o seu lugar na estante da biblioteca. O seu cérebro pode ficar tão danificado que se torna impossível reconhecer membros da sua própria família, embora você os veja. Uma lesão em outro lugar destruiria a visão. Uma lesão tornaria impossível distinguir um som do outro, o latido de um cachorro do canto de um pássaro. Você ouviria ruídos, mas não saberia distingui-los. Outra lesão cerebral o tornaria surdo para o resto da vida. Assim como o canhoto se expressa com o lado direito do cérebro, e vice-versa, o canhoto só ouve e entende o som com o lado direito do cérebro.

"Ninguém sabe *como* a mente funciona ou qual é o pensamento que permite a um animal de duas pernas, colado a este mundo, medir com precisão a distância de uma estrela fixa, a bilhões de quilômetros de distância, pesar o Sol ou anunciar com precisão o peso desta Terra.

"Uma teoria ensina que a mente é como uma harpa eólica, emitindo pensamentos quando forças externas a estimulam, como a harpa eólica faz quando tocada pelo vento. A outra teoria importante compara o cérebro a um violino, que, não importa quão habilmente feito, deve ser tocado por um ser pensante antes que possa produzir música.

"*O que* faz o cérebro funcionar, ou *como* ou *por que*, ninguém sabe. Os antigos diziam que a Terra repousava sobre os ombros do gigante Atlas. Atlas sustentava-se na tartaruga, e eles a deixaram cair. Não parecia valer a pena perguntar no que a tartaruga se sustentava.

"Nós dizemos que os nossos nervos óticos, do olfato, do paladar, do tato e da audição informam o cérebro. O cérebro informa a consciência, a consciência comanda a vontade, e a vontade dá ordens ao corpo. A vontade, assim como onde a tartaruga se sustentava, permanece sem explicação.

"Quando você coloca o chapéu de outro homem e ele cai sobre as suas orelhas, você fica indignado. Você sabe que o outro homem conclui que é mentalmente superior a você. Isso não procede.

Você não pode colher uma safra generosa de recompensa com a semeadura de um serviço de qualidade inferior mais do que você poderia colher uma safra de trigo de uma semeadura de mostarda-dos-campos.

"Um cérebro de tamanho normal é geralmente melhor do que um cérebro anormalmente pequeno. Pessoas com deficiência mental grave e sem capacidade mental geralmente têm cabeças pequenas e cérebros mais leves do que pessoas normais.

"Helmholtz, um dos homens mais eruditos do mundo, tinha um cérebro que pesava apenas um quilo e trezentos gramas. Treze homens que morreram em um abrigo inglês tinham cérebros que pesavam mais de 1,7 quilo. O cérebro de Webster pesava apenas pouco mais de 1,5 quilo.

"Dollinger, estudante erudito e expositor de Teologia, tinha um cérebro que pesava um quilo.

"Entre cinco raças – sueca, bávara, hessiana, boêmia e inglesa, os ingleses têm o menor peso cerebral médio, e o boêmio, o mais alto.

"O tamanho da cabeça e o peso do cérebro nem sempre andam juntos. Um cérebro, como uma laranja, pode ter uma cobertura espessa.

"Uma pequena serra, do tipo certo de aço, cortará uma grande barra de ferro. Um cérebro pequeno, com o material certo, é mais importante do que a mera massa cerebral.

"Os cérebros das mulheres, assim como seus crânios, em média, são menores do que os dos homens.

"Com o passar do tempo, a substância da qual o seu cérebro é feito 'é definida', se torna, mentalmente falando, dura como concreto. Depois de certa idade, o homem não pode mudar suas convicções. Ele acha que não *quer*, mas, na verdade, não pode.

"Entre os vinte, os trinta e os quarenta, homens instruídos recebem facilmente novas ideias, mas depois disso recebem com dificuldade ou não recebem. A menos que uma abertura tenha sido feita no cérebro, por meio da qual a verdade possa passar na juventude, a verdade não pode entrar mais tarde. Daí a importância de ter o que é desdenhosamente chamado de 'um punhado de informações gerais e opiniões gerais'. Cada 'conhecimento limitado' pode deixar um buraco para permitir a entrada da luz mais tarde. Homens ignorantes raramente aceitam um novo pensamento após os 25 anos. Além dessa idade, eles podem odiar, mas pensam com dificuldade. Isso torna as multidões, as massas, tão perigosas.

"Quando Harvey anunciou que o sangue circula pelo corpo, bombeado pelo coração, qualquer tolo, você diria, deveria ter reconhecido imediatamente a veracidade da descoberta de Harvey.

"No entanto, essa verdade, tão clara para nós, foi negada por todos os 'grandes médicos' da Europa, exceto alguns daqueles com menos de quarenta anos de idade. As mentes dos outros haviam se firmado em concreto sólido.

"Voltaire, em seu capítulo sobre 'Estadistas' no *Dicionário filosófico*, diz que não escreve para estadistas de sua época, porque eles não têm tempo para ouvir, mas para os jovens que serão estadistas mais tarde. Você não pode modelar ou reformar o cérebro consolidado.

"A comunidade científica está intrigada com o fato de que deveríamos ter dois cérebros formados, pois temos dois pés e duas mãos. O segundo cérebro parece desnecessário; ainda assim, todos nós o temos, pronto, em caso de acidente com o cérebro ativo, para assumir a função da fala, do pensamento e da percepção, se o acidente ocorrer a tempo de acioná-lo.

"A natureza faz o seu grande trabalho em forma esférica. Os sóis e os planetas são esferas, a água no riacho ou o sangue em suas veias rola em gotas redondas. Talvez haja uma boa razão, a ser desenvolvida mais tarde, para um cérebro esférico com os seus dois hemisférios. Algum dia, talvez possamos usar um cérebro para o nosso pequeno trabalho de pensamentos e planejamento neste mundo, e o outro para a exploração e a contemplação do Universo exterior. 'Ainda não foi mostrado o que seremos'.

Por que não pagar ao trabalhador incompetente, preguiçoso e não qualificado o mesmo salário do homem qualificado, trabalhador e altamente eficiente? Você pagaria se fosse o empregador?

"Os dois cérebros que vivem atrás dos seus olhos, acima do nariz e das orelhas e sob os seus cabelos, aprofundando as suas convoluções, aumentando a sua força enquanto você pensa, deteriorando-se com terrível rapidez quando você para de pensar, são separados por uma fenda e unidos, na parte inferior da fenda, por uma interessante ponte chamada *corpo caloso*. É uma ponte de fibras brancas que passam de um cérebro a outro. A informação deve viajar de um cérebro para o outro por essa ponte. Não há certeza quanto ao seu uso. Os homens têm vivido normalmente sem ele.

"Algum dia, a experiência de transplantar a metade de um cérebro humano muito jovem no lugar da metade de um cérebro de um jovem chimpanzé pode ser tentada. Antivivisseccionistas, tomem cuidado.

"Como você, o seu irmão mais novo, o chimpanzé, tem dois cérebros formados. E você teria dificuldade em diferenciar o cérebro do jovem chimpanzé do de uma criança humana.

"Seu cérebro tem sua casca como a de uma árvore, chamada de córtex, e abaixo dela uma substância branca e fria, como a madeira dura dentro de uma árvore. O pensamento é todo produzido na casca do cérebro ou córtex; o pensamento, aparentemente, flui para lá, como a seiva doadora de vida flui na casca da árvore.

"Como sua visão, audição e distinção são realizadas em um dos seus cérebros, então, o seu pensamento é produzido em um cérebro, nunca em ambos ao mesmo tempo. Um acidente na infância pode decidir qual será o cérebro ativo e qual será o cérebro ocioso ao longo da vida.

"Foi um grande choque para os amadores quando foi mostrado que o cérebro do chimpanzé tem não apenas todos os lóbulos, mas também todas as convoluções do cérebro humano. A 'convolução de Broca' está lá, apenas o macaco não consegue falar.

"Huxley até provou, contra Owen, que não existe no cérebro humano uma única peculiaridade faltando em comparação com o cérebro inferior de um babuíno. O bisturi usado na dissecação não pode explicar a diferença que separa, em valor, o cérebro do babuíno do cérebro de um cientista.

"Nenhum animal fala ou já disse uma palavra, com todo o respeito ao falecido Dr. Garner. Ninguém da raça humana jamais foi conhecido por não ter a fala, por mais reduzida que seja a sua inteligência. Cada palavra que você diz para expressar todo o seu pensamento está localizada 'em uma pequena parte da massa cinzenta não maior do que uma avelã'. Rompa um vaso sanguíneo naquela parte do cérebro e você fica mudo.

"Machuque levemente aquela parte do cérebro, e você pode se esquecer de como falar em sua língua, mas, ainda assim, será capaz de reter seu conhecimento de francês ou de alguma língua morta. A 'prateleira' mental que contém o seu idioma nativo pode ser destruída, e a 'prateleira' do francês ou grego permanece intacta.

"'Penso, logo existo', diz o cientista. *Por que* pensamos ou *como* pensamos ou o que é que pensa, se o pensamento é real, criado por nós, ou impresso em nossas mentes por influências externas, como a luz do Sol imprime uma fotografia em uma placa, nós não sabemos.

"Até mesmo o sono, o descanso do cérebro, é um mistério sombrio para nós. O que acontece quando o cérebro dorme e o corpo descansa? A mente, o espírito, a consciência, ou o que quer que seja a máquina pensante, partem para se divertir em outro lugar assim como o motorista deixa o carro quando o leva para a garagem durante a noite?

"Você deve dizer: 'Nós dormimos porque estamos cansados'. Parte de nós está cansada, parte não. Tudo o que exige esforço da *vontade* causa fadiga. Se a sua vontade o faz trabalhar, correr ou pular, você se cansa e precisa descansar. No entanto, uma parte do seu cérebro trabalhando inconscientemente coloca sobre certos nervos ou músculos uma tarefa que dura, sem cessar, por cem anos, se você viver tanto tempo, sem a interrupção de um segundo, noite ou dia.

"A energia que você despende em uma única respiração, usando os músculos do tórax e do abdômen, é igual à força que seria necessária para levantar quase 580 quilos. Mais de trinta vezes a cada minuto, enquanto você viver, certos músculos agem com força suficiente para levantar mais de meia tonelada do chão, e eles nunca descansam.

"E aquele maravilhoso motor e músculo, o coração, como ele se mantém sem descanso? Carrel, cirurgião francês, operando a cavidade pulmonar de um cão, segurou em sua mão, sem feri-lo, o coração do animal batendo, dizendo: 'O motor mais maravilhoso do mundo'. Ele é isso, nos animais e em nós. Alguma coisa em seu cérebro, da qual você nada sabe, mantém seu coração funcionando.

"Dois nervos, indo da parte inferior do cérebro, a medula, até o coração, regulam o funcionamento desse motor. Estimule um desses nervos com uma corrente elétrica, e seu coração dobra, instantaneamente, a velocidade e a força. Estimule o outro nervo, e o coração bate mais devagar. Estimule-o em excesso, e o coração para. Corte aquele segundo nervo que vai até o coração, e o coração dispara como uma parelha de cavalos com as rédeas cortadas.

"Um nervo acelera o coração, como o chicote na mão de um cocheiro; o outro o segura, como as rédeas presas ao freio. E, assim como a atividade do coração é controlada, tudo dentro dos nossos corpos, 'maravilhosamente feitos', é controlado a partir do córtex escuro do cérebro, dos músculos e dos nervos, que regulam a pressão arterial, sistema maravilhoso que controla o calor do corpo para que a temperatura do sangue não mude uma fração de grau entre o Equador e o Polo Norte. E sobre todo esse gerenciamento automático, não sentimos nem sabemos nada.

"Quem já leu um livro de Anatomia, ou Psicologia, pergunta no final: 'Sobre o que eu tenho lido? O que é isso que vive dentro de nós, reconhecendo fatos relatados pelos nervos, enviando por meio das mãos fracas e palavras do homem ordens que mudam a superfície da Terra, derrubam montanhas e unem os oceanos?'

Faça-me uma pergunta que acharei difícil de responder e você me terá prestado um serviço genuinamente útil, fazendo-me PENSAR!

"Há 2,4 mil anos, Demócrito, de Abdera, ensinado pelos magos caldeus, disse: 'O homem vive mergulhado em um mundo de ilusão e de formas enganosas tomado por realidade. Para falar a verdade, não sabemos de nada'.

"Os médicos e fisiologistas eruditos de hoje estudam 'tecidos', nervos, músculos e também confessam, a respeito da força que nos governa, que 'não sabemos de nada'. Apenas o brilho do olho revela o morador interno, a alma. Mas não é mesmo? O olho do cavalo parece brilhar enquanto ele relincha e dá patadas no chão, ouvindo o toque do clarim. Ele também tem um morador interno de nível inferior?"

* * *

Você acabou de ler uma lição muito boa e de fácil compreensão sobre Psicologia. Se pensou e digeriu o que leu, agora sabe mais sobre essa área de estudo – a mente humana – do que 99% das pessoas no mundo inteiro. Agora você entende por que recomendo o esforço organizado por parte de igrejas, escolas e jornais para incutir a filosofia da Regra de Ouro nas mentes dos jovens, *porque esse é o único lugar onde isso pode ser feito e permanecer!*

Depois de terminar de ler isso, vá para a biblioteca pública e leia *The Science of Power*, de Benjamin Kidd (publicado por G. P. Putnam's Sons, Nova York). Além desse, *Thinking as a Science*, de Henry Hazlitt (publicado por E. P. Dutton & Company, Nova York). Qualquer um desses livros pode ser fornecido pela livraria local ou pela Montgomery Ward & Company, de Chicago, Illinois.

Depois de ler esses dois livros interessantes – que não exigirão mais do que algumas horas –, você saberá mais sobre a mente humana do que todas as pessoas do mundo, exceto aquele número relativamente pequeno que se especializou em Psicologia. A propósito, você terá de dez a dez mil vezes mais poder parar atingir o seu objetivo principal na vida do que tinha antes de fazer essas leituras sugeridas *e pensar!*

A diferença entre o homem de 25 mil dólares por ano e o homem de 1,5 mil dólares por ano é, em grande parte, uma diferença de compreensão dos fundamentos da Psicologia. Informe-se sobre esse assunto e faça com que todos os seus interesses sejam igualmente informados.

Agora você sabe!

O que vai fazer a respeito disso? Quando? Como? Se este editorial fez com que uma ideia se formasse em sua mente, certifique-se de mantê-la viva e funcionando! Conte às outras pessoas sobre isso – escreva sobre isso –, pense sobre isso, porque tudo isso é um exercício mental que desenvolverá o fundamento cada vez mais até que se torne parte de você, e, então, você o usará tão livre e habilmente como usa a sua mão, mas isso irá ajudá-lo a realizar aquilo que um milhão de mãos nunca poderiam realizar sem ele.

Isso vai ensiná-lo a pensar com precisão e raciocinar logicamente. Levará você a uma liderança que não terminará até que você se torne a pessoa que deseja ser!

Meu propósito na vida é: colocar os princípios acima do dinheiro e a humanidade acima do indivíduo egoísta que receberia sem dar, bem como ajudar os meus semelhantes a fazerem o mesmo.

Semear as sementes da revolução nos corações dos meus semelhantes até que eles se levantem e trabalhem com um esforço coordenado para o objetivo comum de que a civilização possa oferecer algo maior do que o privilégio de ser acorrentada à fadiga do trabalho e de ficar alerta, sempre, com medo de morrer de fome.

Dominar a intolerância e ajudar as outras pessoas a fazerem o mesmo.

Dar continuidade a um programa educacional construtivo que ajudará homens e mulheres a verem as vantagens da cooperação e as desvantagens de lutar uns contra os outros em sua corrida louca para adorar no santuário da riqueza.

Organizar uma cadeia de jornais que se espalhará, como uma rede, pelos Estados Unidos, e cujas páginas trarão apenas notícias claras, construtivas e verdadeiras, e cujos editoriais despertarão e inspirarão milhares de pessoas até que se libertem da eterna opressão do salário e saiam de baixo dos calcanhares dos loucos gananciosos.

Prestar um serviço maior em qualidade e quantidade do que sou pago para fazer e ajudar as outras pessoas a verem as vantagens de fazer o mesmo.

Deixar de lado o preconceito e ajudar todos, independentemente de suas tendências religiosas, políticas, raciais ou econômicas.

Espalhar sementes de sol por onde eu for, visando, sempre, criar acolhimento na minha presença.

Lembrar que sirvo às pessoas e que a maior honra que pode ser concedida a um homem é a de servir bem!

Ganhar a confiança dos meus semelhantes, merecendo-a primeiro, e me conduzir de modo que essa confiança nunca seja minada ou traída.

Enfim, aceitar quaisquer responsabilidades que a vida possa trazer, procurando sempre servir e nunca me esquivar; sempre ajudar e nunca atrapalhar as rodas do progresso à medida que elas avançam em direção ao objetivo pelo qual todo ser humano está se esforçando – *a felicidade aqui neste mundo.*

Recomendação 15

Aplicando a Regra de Ouro

A décima quinta placa de recomendação na Estrada para o Sucesso é a *aplicação da Regra de Ouro.*

E agora chega um professor da Universidade de Harvard com uma carta que faz a nossa máquina de escrever editorial disparar. Publicamos a carta e a resposta, com o objetivo de dar aos leitores a oportunidade de refletir sobre o assunto em discussão.

"Meu caro Sr. Hill:

"Tenho sido um leitor da sua revista desde o surgimento da primeira edição, há quatro anos, e estudado sua filosofia com um interesse constante e crescente mês a mês.

"Tem sido muito esclarecedor observar o desenvolvimento do seu próprio processo de raciocínio desde que você começou a escrever esses ensaios edificantes, e tenho motivos para acreditar que realizou mais coisas boas do que imagina; no entanto, fiquei desapontado porque você parece não ter descoberto ainda que a Regra de Ouro, em si mesma, não é suficiente para levar um homem ao sucesso.

"Pense bem e será muito óbvio para você que um homem poderia facilmente morrer de fome no meio da abundância e, ainda assim, aplicar a Regra de Ouro em todas as suas relações com as outras pessoas.

"Desculpe-me por essa intromissão, mas sei, por suas obras literárias, que você é um homem que aceita sugestões, mesmo que não se harmonizem com o seu próprio ponto de vista.

Muito cordialmente."

A carta foi um leve choque. É possível que um professor de Harvard tenha lido os textos por quatro anos sem interpretar corretamente o que escrevemos? Sem dúvida que sim, e atribuímos a culpa a nós mesmos. Ou seja, atribuímos a culpa até o momento presente, mas daqui em diante passamos a responsabilidade dizendo francamente que, se o professor de Harvard, ou qualquer outra pessoa que lê estas linhas, não consegue entender nosso ponto de vista sobre a relação da Regra de Ouro com o sucesso, não será mais nossa culpa, pois seremos claros.

Para começar, negamos ter afirmado que a Regra de Ouro, por si só, é suficiente para levar qualquer pessoa ao sucesso, porque sabemos há muitos anos que não é. De acordo com o nosso ponto de vista, há muitos fatores que influenciam o sucesso, sendo que o menos importante deles é a própria definição da palavra sucesso.

Digamos, para fins de ilustração, que o acúmulo de dinheiro que excede as necessidades reais para viver é sucesso.

O dinheiro é acumulado por meio do uso do poder; veja bem, eu disse "acumulado", o que não é o mesmo que "herdado".

O poder vem por meio do esforço organizado; de nenhuma outra maneira. Quando você desenvolve o poder por meio do esforço organizado, reúne muitos fatores e os mistura, na proporção certa; então, coloca o resultado dessa combinação de fatores atrás de um plano bem-organizado. Esse plano varia de acordo com o momento de vida ou com o que você pretende adquirir ao usá-lo.

Existem quinze desses fatores a partir dos quais o poder pode ser desenvolvido, e os mencionamos nestas colunas dezenas de vezes, de todos os ângulos e pontos de vista que poderíamos conceber, porque sabíamos que isso era necessário para deixar a nossa premissa clara para pessoas com variadas capacidades de interpretação.

Não há mal algum se mencionarmos esses quinze fatores mais uma vez; nem fará mal se repetirmos que o poder pode ser desenvolvido a partir de uma combinação adequada desses quinze fatores.

O primeiro é um propósito, um *objetivo* principal na vida!

Em seguida, temos os outros quatorze, a saber: Autoconfiança, iniciativa, imaginação, Ação, entusiasmo, Autocontrole, Disposição para Realizar um Trabalho Além Daquele pelo que Se é Pago, Uma Personalidade Cativante, Pensamento Acurado, Concentração e Foco, Persistência, Aprender com as Falhas e os Erros, Tolerância, e, por último, mas não menos importante, Aplicação da Regra de Ouro.

Nunca afirmamos que a Regra de Ouro, por si só, era suficiente. Vem no final da lista, mas dizemos agora, o que dissemos muitas vezes antes, em dezenas de maneiras diferentes, que *nenhuma posição na vida pode durar e nenhum sucesso pode ser permanente a menos que seja fundamentado na verdade e na justiça,* o que é o mesmo que dizer que o sucesso não irá durar a menos que tenha sido alcançado por meio da aplicação do princípio da Regra de Ouro.

A riqueza está nas mãos de quem tem inteligência para obtê-la e mantê-la. Não há como escapar desse fato.

A lei da sobrevivência do mais forte prevalece e sempre prevalecerá. Qualquer pessoa que tenha estudado Darwin sabe que existe essa lei e sabe, também, como ela funciona. A natureza cria um número enorme de ratos do campo, a maioria dos quais chega ao estômago do falcão, da coruja, da doninha ou de alguma outra criatura "mais adequada". A palavra "adequada" não é o mesmo que a palavra "justa". Talvez os ratos do campo que alimentam a coruja sejam tão "justos" quanto aqueles que escapam e continuam a espécie, mas não são tão "adequados", o que significa que não são organizados nem têm energia suficiente para sobreviver.

Em todas as espécies de animais, incluindo a raça humana, existem certos indivíduos que são favorecidos com "adequação" superior para sobreviver.

Nunca na história do mundo houve oportunidades tão abundantes como agora para a pessoa que está disposta a servir antes de tentar receber.

O homem que sabe como organizar seus esforços e dirigi-los de modo inteligente pode conseguir todo o dinheiro que sua imaginação pode conceber, e não há nada neste mundo que possa detê-lo. Se ele ficará feliz e "bem-sucedido" com isso depois que o conseguir é uma outra questão. O sucesso, como o entendemos, deve incluir a felicidade, mas não há dúvidas de que os homens podem conseguir dinheiro em grandes quantidades sem aplicar a Regra de Ouro ou desfrutar da felicidade em relação à posse do dinheiro depois de obtê-lo.

Os quinze fatores aqui mencionados contemplam o uso do esforço organizado, ou poder, de uma forma que trará *sucesso real:* o tipo de sucesso que está bem alinhado com a felicidade.

A maioria dos homens já têm pelo menos uma parte desses quinze fatores sob controle, mas o que precisam é incluir aqueles que não estão incorporados ao seu modo de vida. Alguém poderia ter os primeiros quatorze fatores sob controle, mas, se deixasse de conduzir seus esforços até o décimo quinto, não poderia ser um sucesso permanente. O poder poderia ser desenvolvido por uma combinação adequada dos primeiros quatorze fatores, mas levar à destruição em vez do sucesso se não fosse guiado pelo princípio da Regra de Ouro.

Se isso não deixar claro o nosso ponto de vista sobre a relação da Regra de Ouro com o sucesso, devemos alegar incapacidade de expressar o que queremos por meio do nosso idioma.

* * *

A maioria das grandes conquistas nasceu da luta!

A natureza organizou os seus planos de modo que todos os seres vivos progredissem por meio da luta. Essa luta necessária costuma ser muito desagradável, e a maioria de nós se protegeria dela se soubesse como.

Quanto maior a nossa luta, mais aprendemos.

A natureza planta desejos em nossos corações e, então, circunda o objeto desses desejos com muitos obstáculos que devemos superar antes de alcançarmos o que desejamos. Em nenhum lugar achamos que faz parte dos planos da natureza nos dar algo a troco de nada. Ela nos obriga a lutar por tudo o que conquistamos e a pagar um preço por isso.

Um dos desejos mais arraigados do coração humano é o de possuir riquezas.

O homem que não é impelido a agir por esse desejo de riqueza é uma raridade entre os seus semelhantes. Visto que esse desejo é tão universal, temos motivos para acreditar que a natureza o colocou no coração humano como um meio de nos fazer lutar.

Quer consigamos ou não tudo pelo que lutamos neste mundo, devemos nos consolar com o pensamento de que, pelo menos, tivemos o privilégio de lutar, e que com essa luta aprendemos algo que pode servir aos planos da natureza mais adiante.

No momento em que paramos de lutar, começamos a definhar e, finalmente, morremos. A natureza diz que "você deve continuar crescendo ou sair do caminho". Não podemos crescer sem luta. Isso deve nos dar conforto quando a luta parece mais difícil, porque o crescimento rápido vem da luta árdua.

Quando você perder o senso de humor, consiga um trabalho em um elevador, e assim sua vida será uma série de *altos* e *baixos*.

* * *

O medo é uma desvantagem terrível. Um dos medos mais perigosos e repressivos é o do que as outras pessoas vão dizer de nós. Os carecas poderiam manter os cabelos se não tivessem medo de deixar de lado os chapéus, com partes justas que comprimem as terminações nervosas que alimentam a raiz dos cabelos. No entanto, o medo do "que os outros dirão" os impede de tirar seus chapéus.

Recentemente perguntamos a um homem público o que ele achava ser a verdadeira causa de tantas greves. Ele nos contou, mas, antes de fazê-lo, pediu que prometêssemos não mencionar o seu nome. Ele também temia o que "as pessoas diriam" sobre ele por expressar sua opinião honesta a respeito da situação trabalhista.

Esse "as pessoas", "os outros", indefinido e imaginário, tem mantido muitos gênios aprisionados em suas próprias mentes por medo de agir e se expressar francamente.

Suponha que as pessoas o critiquem. O que é que tem? Qualquer tolo pode criticar, e *muitos deles o fazem!* No entanto, as suas críticas não ferem ninguém, exceto a eles próprios. Isso os marca pelo que eles são.

Homens que analisam e pensam raramente se criticam com franqueza. O homem ou a mulher que, ousadamente, faz o que parece ser certo, mesmo que não esteja em conformidade com a opinião da multidão, tem força de caráter que não conhece palavras como "medo" e "impossível".

Acabei de falar com um desses pensadores. Ele não me fez prometer que omitiria o seu nome. Quando lhe perguntei sobre o que ele pensava sobre a situação trabalhista atual, ele respondeu rapidamente: "Se os sindicalistas conseguirem tudo o que pedem, o que não vai acontecer, podemos muito bem nos mudar para a Rússia, onde eles não têm a pretensão de permitir que o povo desfrute da liberdade. A questão atual entre capital e trabalho é clara e facilmente definida. O capital está lutando pelo direito de os homens trabalharem onde quiserem, por quem quiserem e sob qualquer arranjo que quiserem. Os sindicalistas estão lutando para excluir do emprego todos aqueles que não prestam homenagens aos líderes trabalhistas que se autoimpuseram. Se os sindicalistas vencessem, isso significaria que o próprio princípio fundamental sobre o qual a *Declaração da Independência* foi erguida seria colocado de lado, e não teríamos mais motivos para nos orgulhar de ser este o país mais livre do mundo".

Alguma coisa vaga sobre essa declaração?

Quer concordemos com isso ou não, temos o maior respeito pelo homem que teve a coragem de se expressar assim francamente.

Certo é certo, e errado é errado, e o homem que sente medo de chamar cada um pelo seu nome não tem direito aos benefícios do que é certo, nem está imune aos efeitos do que é errado.

Quer concordemos com ele ou não, temos todo o respeito pelo homem que se apoia em suas duas pernas, olha o mundo de frente sem vacilar e lhe diz em que acredita.

Em frente à máquina de escrever em que estas linhas estão sendo escritas, está pendurado um grande quadro que diz o seguinte: *"Eu estou tendo mais sucesso a cada dia em todos os sentidos!"*.

Um "cabeça-dura" que é um amigo nosso foi admitido por alguns minutos à sala do editor e, assim que seus olhos pousaram sobre o quadro, ele disse: "Você não acredita nessas coisas, não é?", e respondi: "Claro que não! Tudo o que isso fez por mim foi me tirar das minas de carvão e encontrar um lugar no mundo onde estou a serviço de mais de cem mil pessoas em cujas mentes estou plantando o mesmo pensamento positivo que esse quadro traz à tona, portanto por que devo acreditar nisso?".

Assim que ele começou a sair, falou: "Bem, talvez haja algo nesse tipo de filosofia, afinal. Sempre tive medo de ser um fracasso durante toda a minha vida, e, até agora, os meus medos têm sido totalmente materializados".

Você está se condenando à pobreza, à miséria e ao fracasso, ou está se dirigindo às alturas da realização, apenas *pelos seus pensamentos.* Se você *exige* sucesso de si mesmo e respalda as suas exigências com muita ação, certamente terá sucesso. Há uma diferença entre *exigir* sucesso e simplesmente desejá-lo. Você deve descobrir qual é essa diferença e tirar proveito dela.

Se não se sentir tão ousado quanto este escritor, você pode tentar esta experiência consigo mesmo por algumas semanas: a cada momento de lazer ou de folga, você diz a si mesmo: *"Eu estou me tornando mais bem-sucedido a cada dia, em todos os sentidos"*.

Escreva as mesmas palavras em um cartão e carregue-o com você onde possa lê-lo várias vezes ao dia. Quando disser essas palavras para si mesmo, diga-as com certeza absoluta de que serão realizadas. Continue assim com persistência, mas não faça isso com o sentimento de que é algum "experimento tolo" que pode dar resultados mas, provavelmente, não dará.

Você se lembra do que a Bíblia diz (em algum lugar no livro de Mateus) sobre aqueles que têm a fé como um grão de mostarda? Faça isso com, pelo menos, essa mesma fé; até com mais, se puder.

Não importa o que "eles dirão" ou o que "eles pensarão" sobre você, porque "eles" não saberão nada sobre o seu experimento. Se seguir esse plano com persistência nascida da fé, logo você se tornará tão poderoso e capaz de resolver os próprios problemas que não se importará com o que "eles dizem".

Se você tem apenas cem dólares sobrando, invista em um terno novo e pareça próspero. Semelhante atrai semelhante.

Oh, vós, fracos de pouca fé! Sejam sensatos e reclamem os vossos. Você tem dentro dessa "coisa mental" que repousa em sua cabeça todo o poder necessário para obter tudo de que precisa, e a maneira mais simples de dizer a você como usar esse poder é dizer para *acreditar em si memo.*

Este escritor conhece um homem de cinquenta anos que é um dos mais versáteis. Esse homem conhece a história do mundo desde o início até o momento presente, tem um físico forte e uma aparência impressionante. Sua voz maravilhosa e rítmica toca em perfeita harmonia nos ouvidos de todos que a ouvem. Tem uma personalidade cativante. As pessoas gostam dele e confiam nele. Ele tem milhares de amigos em todos os Estados Unidos. O melhor de tudo é que tem boa saúde e, pelo menos, quarenta anos ativos pela frente. Com todas essas vantagens, o pobre "bobão" não está chegando a lugar nenhum porque...

Porque não conhece o poder que ele tem!

Haveria alguma desculpa para ele se não fosse um filósofo capaz e não entendesse como raciocinar da *causa* para o *efeito*, ou do *efeito* para a *causa*. Não há nada dentro do dom do povo americano que ele não poderia ter se tivesse a autoconfiança de *exigir* mais de si mesmo.

Lembre-se de que a verdadeira maneira de obter a cooperação das outras pessoas é *exigir* muito de si mesmo!

O homem sobre o qual escrevemos se parece com um cavalo que foi contido, selado e atrelado por alguém com menos de um décimo da sua força física. Se o cavalo, em algum momento, pensasse e percebesse que tinha todo esse poder físico, ninguém jamais o atrelaria novamente. O mesmo acontece com o homem sobre o qual escrevemos. Ele tem o poder, a força, não apenas física, mas o poder de todos os poderes – o mental –, mas ele não sabe que o tem; consequentemente, está dando um lento passo de ganso na estrada empoeirada rumo ao fracasso e à decadência.

"Conheça a si mesmo, cara! Conhece a ti mesmo."

Esse tem sido o clamor dos filósofos há séculos. Quando você se conhecer, saberá que não há nada de tolo em pendurar um quadro na sua frente, no local de trabalho, que diz:

"Eu estou tendo mais sucesso a cada dia em todos os sentidos."

Até que você se conheça, tal quadro pode não indicar nada, exceto que o homem que o estava usando era uma pessoa excêntrica.

* * *

Se você é avesso a fazer a experiência consigo mesmo, esta você pode experimentar em outra pessoa: escolha alguém que tenha pouca ambição, do tipo simples, e comece a encher essa pessoa com sugestões de que ela parece estar fazendo um trabalho melhor; que parece estar ficando mais ambiciosa; que parece mais autossuficiente. Profetize uma grande carreira para ela. Continue assim sempre que estiver em contato com essa pessoa e observe o que acontece. Muito em breve suas sugestões começarão a entrar no subconsciente dela; ela começará a se impulsionar, e, antes de perceber as suas sugestões, elas terão sido transformadas em autossugestões, e ela viverá o "papel sugerido" e se tornará a pessoa que você imaginou em sua mente.

Acontece, às vezes, que uma afirmação gratuita, lançada em uma mente fértil, pronta para recebê-la, no momento certo, pode mudar toda a carreira de uma pessoa. Temos um exemplo disso. Um amigo nosso trabalhava com máquinas de escrever. Um dia, ele se gabava do fato de conhecer pessoalmente cada comprador e cada estenógrafo que operava as máquinas vendidas em seu escritório. Ele realmente se sentia orgulhoso de sua habilidade de conhecer todas as pessoas. Um jovem estenógrafo estava ouvindo e fez a seguinte pergunta: "Você não está limitando as suas possibilidades carregando todos esses detalhes inúteis em sua cabeça?"

Essa pergunta irritou o nosso amigo, obrigado por isso! Que direito tinha um simples estenógrafo de fazer a ele, um homem de influência e sucesso, tal pergunta?

Dessa irritação veio uma revelação!

Ele começou a refletir sobre a observação e, quanto mais pensava sobre ela, mais percebia o que o estenógrafo tinha em mente. Da noite para o dia, ele mudou sua política e começou a compartilhar todos os detalhes de seus negócios com os subordinados. Hoje ele é um homem rico, aposentado dos negócios aos 42 anos, com muito dinheiro no banco e gerentes de confiança que conduzem os seus negócios e continuam a levar dinheiro ao banco para ele.

Os momentos decisivos mais importantes na vida, geralmente, acontecem por meio de alguma observação ou algum acontecimento simples, que parece de pouca relevância na época.

De modo geral, qualquer coisa que nos faça sacudir e revisar nossa filosofia de vida e reforçá-la onde ela é fraca é boa para nós. A mente degenera-se rapidamente e torna-se preguiçosa e inativa se levarmos as coisas com facilidade e não permitirmos que algo a force a sair de sua rotina normal de funcionamento.

Pode haver atalhos para o sucesso, mas muitos viajantes cansados ficam presos na lama tentando seguir por esse caminho.

Muitas vezes, uma morte na família ou alguma outra catástrofe serve para redirecionar o curso da mente e forçá-la a direcionamentos novos e mais eficientes. Quase todo fracasso serve como um tônico mental que pode ajustar o aparato mental, se assim permitirmos.

* * *

Este escritor tem alguns inimigos, graças a Deus por isso! Esses inimigos trabalham para ele dia e noite, embora não saibam disso. Trabalham mantendo-o em alerta para não lhes dar alguma abertura para o aniquilar ou destruir os seus planos.

Odeio os meus inimigos?

Não! Costumava odiá-los, mas isso foi antes de descobrir o quão valiosos eles eram. Veja bem, não amo os meus inimigos; ainda não progredi tanto, mas não faço nenhum esforço para desencorajá-los ou aniquilar suas investidas, porque isso seria tão tolo quanto o fazendeiro matar todas as ervas daninhas de sua fazenda, tirando, assim, a substância que fertiliza o solo e o mantém vivo ano após ano.

O décimo primeiro mandamento diz: “Escolha a tua bebida com cuidado para que os teus dias na Terra não sejam abreviados”.

Todo homem bem-sucedido deve ter um bando de inimigos!

Mostre-nos uma pessoa sem inimigos e mostraremos a você, ao mesmo tempo, uma pessoa sem autoconfiança, coragem e personalidade para colocar sua cabeça acima das do “rebanho comum” que vagueia conforme o momento e os eventos.

Os inimigos estão entre os bens mais valiosos de quem olha para eles de modo filosófico e entende a natureza do serviço que estão prestando, involuntariamente e de maneira não intencional.

Não é um pensamento confortante para a pessoa que se preocupa com o fato de nem todos gostarem dela? É seu pensamento; aproprie-se e faça uso dele. É para isso que o estamos passando a você.

* * *

Ontem à noite, peguei os ensaios de Emerson e li o ensaio sobre “Leis Espirituais”.

Uma coisa estranha aconteceu! Vi naquele ensaio, que já havia lido inúmeras vezes, muitas coisas que nunca tinha visto nas leituras anteriores. Com o lápis na mão, li entusiasmadamente como se nunca tivesse lido antes.

Isso foi tão estranho que parei e analisei a experiência. Descobri que havia visto, em leituras anteriores, tudo o que *era capaz de interpretar naquela época.* Vi muito mais nas mesmas palavras dessa vez porque o desenvolvimento da minha mente, desde a última leitura, preparou-me para interpretar mais.

A mente humana está em constante evolução, como as pétalas de uma flor, até atingir seu máximo desenvolvimento. O que é esse máximo, onde termina, aonde leva, difere conforme o indivíduo e o uso que ele dá à sua mente. Uma mente forçada ou induzida ao pensamento analítico todos os dias parece continuar evoluindo e desenvolvendo maiores poderes de interpretação, sem limitação.

Este escritor está convencido de que nenhuma mente está próxima do seu nível máximo de desenvolvimento antes de cinquenta a sessenta anos de idade. Se essa teoria estiver correta, o quão tolo é começar a escolher um local tranquilo e agradável de sepultamento e se preparar para morrer quando chegar ao período mais útil da vida, entre os cinquenta e os sessenta.

Na noite passada, a deusa dos sonhos estava ao lado da cama. Ela disse: "Levante-se, mortal, e expresse um desejo – apenas um –, e ele será concedido instantaneamente".

Hesitei; a mensageira do sonho falou novamente. Ela disse: "É dinheiro, poder, fama, saúde, amigos?". Ao que respondi: "Não, mensageira dos sonhos, não é nada disso! *Dê-me um coração compreensivo e tudo o mais se seguirá!*"

Agora, na reflexão sóbria das horas de vigília, repito que nada peço, exceto a inteligência para compreender o que está acontecendo ao redor. Nenhum ser humano precisa de nada, exceto de um coração compreensivo, pois com ele vem tudo o mais de que qualquer um possa necessitar.

Aqueles que fazem questão de se intrometer na economia farão bem em se lembrar de que, antes que possa haver um sistema equalizado de distribuição de riqueza, deve existir um sistema equalizado de distribuição de inteligência. Inteligência, um "coração compreensivo", é o poder que controla todas as coisas materiais neste mundo, e ninguém poderia mudar essa lei mais do que poderia impedir o funcionamento da lei da gravidade e fazer com que a água flua morro acima, sem esforço.

Obtenha conhecimento; conquiste a capacidade de compreender e de interpretar corretamente tudo o que acontece ao seu redor, e você será capaz de conquistar tudo o mais que desejar. A inteligência governa este mundo. Conquiste a sua parte o mais rápido possível.

O Sr. Edison se tornou o principal inventor do mundo não porque tivesse mais inteligência do que outros homens que não realizaram tanto quanto ele, mas porque desenvolveu um "coração compreensivo". Edison vive muito perto da natureza; ele ouve os sons dos sussurros da natureza, enquanto homens com melhores ouvidos que os dele não ouvem absolutamente nada. O Sr. Edison não fez nada que qualquer outro homem normal não pudesse reproduzir se desenvolvesse a capacidade de interpretar a lei da natureza como Edison fez. Essa habilidade não é um dom; ela é um feito, e o preço que deve ser pago por isso é um esforço persistente direcionado de modo inteligente.

Oh, ser um homem de coração compreensivo!

* * *

Em Louisville, Kentucky, mora o Sr. Cook, um homem que praticamente não tem pernas e precisa ser conduzido em uma cadeira de rodas. O Sr. Cook é o diretor de uma grande indústria, um milionário, tudo conquistado com seus próprios esforços. Ele tem deficiência física desde o nascimento; isto é, em suas pernas.

Na cidade de Nova York, pode-se ver um jovem forte, com corpo e cabeças hábeis, sem pernas, deslizando em sua cadeira pela Quinta Avenida todas as tardes, de boina na mão, implorando para viver.

Esse jovem poderia fazer o dobro de qualquer coisa que o Sr. Cook, de Louisville, tenha feito, *se ele pensasse como o Sr. Cook pensa.*

Henry Ford tem mais milhões de dólares do que saberia como usar. Não faz muitos anos, ele trabalhava como operário em uma oficina mecânica, sem instrução, com poucas oportunidades, sem capital. Dezenas de outros homens, alguns deles com mentes mais bem organizadas que a dele, trabalhavam perto.

Ford se livrou da consciência da escassez, *pensou* no sucesso e o alcançou. Todos os outros mecânicos poderiam ter se saído tão bem quanto se *pensassem* como Ford.

Milo C. Jones, de Wisconsin, foi acometido de paralisia. Ele não conseguia nem virar o corpo na cama sem ajuda. Não conseguia se mover. Todos os seus membros eram praticamente inúteis, mas não havia nada de errado com o seu cérebro, então ele começou a funcionar para valer, provavelmente pela primeira vez em sua existência. Deitado de costas na cama, Jones fez seu cérebro criar um plano *definido*. Esse plano era prosaico e humilde o suficiente, mas era *definido* e era um plano!

Ele decidiu entrar no negócio de salsichas. Chamando a sua família em torno dele, contou-lhes sobre seus planos e começou a orientá-los sobre a colocação dos planos em ação.

Sem nada para favorecê-lo, exceto uma mente sã, Jones construiu um enorme negócio de salsichas e acumulou uma grande fortuna em menos de dez anos. Tudo isso foi realizado depois que a paralisia o abateu e tornou impossível que ele ganhasse a vida com as mãos ou com o corpo.

Onde o *pensamento* prevalece, o poder pode ser encontrado!

A principal diferença entre os homens está no uso que dão aos seus *aparatos pensantes*. O pensamento inteligente leva os homens às alturas. A falta dele os mantém na miséria, na escassez e na necessidade por toda a vida.

Henry Ford ganha milhões de dólares porque primeiro ele teve uma visão de milhões de dólares e *exigiu* de si mesmo um esforço inteligente. Os outros operários não viam nada além de um envelope de pagamento semanal, e isso foi tudo o que eles conseguiram. Eles não exigiam nada de si mesmos que os ajudasse a receber mais do que um salário semanal. Se você quer conquistar *mais*, certifique-se de *exigir* mais, mas não se engane sobre isso, *a cobrança deve ser feita a você mesmo!*

Saia pelo mundo e vá aonde as pessoas estão sofrendo se você quiser aprender sobre as expressões do coração humano. Descubra o que os faz sofrer; descubra quanto sofrimento inútil provocam, e por que é inútil; descubra quanto do seu sofrimento é gerado por sua própria negligência ou ignorância, e quanto se deve a causas além do seu controle. Descubra o que se passa no coração de uma criança quando alguma pessoa brutal bate nela sem piedade e, se puder fazer isso, descubra o que faz um adulto bater em uma criança. Descubra por que algumas pessoas tentam fechar os portões do céu para todos que não pertencem ao seu culto ou ao seu credo, avalie essas atitudes pela ideia que você tem do cristianismo e veja se elas se encaixam nos ensinamentos do Mestre. Leia o Sermão da Montanha, no qual se encontra a Regra de Ouro, e descubra por que tão poucas pessoas acham que vale a pena aplicar esse preceito. Descubra o que acontece a um homem, em seu próprio coração, quando, intencionalmente ou por circunstâncias infelizes, ofende a sociedade e é trancado em uma prisão, onde quase toda a sua liberdade pessoal, exceto a de comer e respirar, é tirada dele. Descubra se isso o melhora ou o torna pior. Descubra, também, por que a maioria desses homens sai da prisão com a firme intenção de "ajustar as contas" com alguém pelo que eles sofreram.

Descubra o que faz com que as pessoas desejem o que é proibido.

2

Sucesso

A palavra mais popular na língua é *sucesso!*

Alguns conseguiram alcançá-lo; todo mundo quer alcançá-lo. De modo geral, um homem tem sucesso quando adquire tudo de que ele precisava para o seu bem-estar físico e espiritual, sem ter violado os direitos de seus semelhantes.

No entanto, nenhum homem consegue alcançá-lo em sua própria mente, porque nenhum homem consegue tudo o que deseja. Há sempre alguma coisa mais adiante, fora do alcance, que o homem deseja, mas não adquire. Talvez essa parte da natureza humana esteja fundada em uma das leis por meio das quais a evolução faz o seu trabalho. Os dois grandes impulsos que impelem o homem à ação, e o mantêm em movimento, são o sexual e o desejo de posse de coisas materiais ou poder pessoal.

Não se assuste se *você* não estiver satisfeito. Nenhum homem está totalmente satisfeito e, se estivesse, pararia de evoluir, porque pararia de lutar.

Nos primeiros dias desta revista, contentamo-nos com a esperança de que um dia teríamos um público de cem mil leitores, mas logo superamos o limite dessa esperança e aumentamos a nossa expectativa para que pudéssemos ver um milhão de leitores. O escritório de palestras recém-adicionado nos dará facilmente esse público de mais de um milhão, então devemos almejar dois ou, talvez, três milhões.

A mente humana é "feita de forma espantosa e maravilhosa". Uma vez que você a foca na realização de determinado objetivo e a mantém ligada a esse objetivo com fé suficiente em sua capacidade de alcançá-lo, forças ocultas parecem se aliar até que você seja *bem-sucedido*.

Qualquer sucesso que você alcançar será possível por meio do uso adequado de sua mente. Sua força física, muscular, não conta para *nada*. O poder da sua mente conta para *tudo*.

O domínio do ar, com o auxílio da máquina voadora, foi uma conquista notável, mas uma conquista do cérebro, da mente, e não do músculo. A coisa toda foi realizada na mente do inventor antes de ser demonstrada com o auxílio físico da máquina voadora.

Aproveitar os elementos do ar e usá-los como um veículo para transmitir mensagens ao redor da Terra, sem o auxílio de fios, foi uma conquista maravilhosa, mas isso foi, totalmente, obra da mente.

Você deseja ter sucesso! Não faz mal saber que o seu sucesso deve vir com a ajuda da sua própria mente; especialmente da área criativa, onde você constrói planos definidos para a orientação de suas ações e atividades.

De vez em quando, o sucesso parecerá coroar um homem sem o esforço da parte dele, por meio de um golpe de acasos favoráveis, mas a maioria das conquistas bem-sucedidas vem por meio de um esforço organizado, direcionado de acordo com planos bem-organizados.

O processo de organizar a sua mente envolve quinze fatores, conforme listado na palestra "Escada mágica para o sucesso" *(Magic Ladder to Success)*. Ao ouvir essa palestra, ou lê-la no formato impresso, analise a si mesmo, descubra quantos desses quinze fatores você precisa somar aos que já está usando, organize a sua mente com a ajuda desses quinze fatores, e o seu sucesso não estará longe.

Quão diplomático você é?

Na correspondência matinal, encontramos uma carta de um jovem escritor que encontra graves falhas em nós porque veio ao nosso escritório em busca de emprego e não conseguiu convencer nossa assistente de que ela deveria encaminhá-lo ao editor.

Sempre admiramos a persistência, mas é uma coisa perigosa, a menos que seja conduzida com tato e diplomacia. Geralmente, é fatal para o sucesso se um vendedor começa o seu esforço de venda provocando uma discussão com a pessoa a quem deseja vender.

A carta do nosso contemporâneo ofendido tem duas páginas de frases rudes e, até certo ponto, "inteligentes", mas o fato doloroso e inevitável é que a carta nos convence da solidez do julgamento da nossa assistente em recusar o acesso. Nenhum escritor que molhe a caneta em sarcasmo seria um colaborador adequado para esta revista. Inconscientemente, esse jovem nos contou mais sobre si mesmo em sua carta de protesto do que poderia ter nos contado pessoalmente se tivesse sido admitido, fato que mencionamos com o propósito de mostrar o quão perigoso é o hábito de ceder à raiva.

O pensamento é a primeira aptidão do homem; expressá-lo é um dos seus primeiros desejo; espalhá-lo, o seu maior privilégio.

Adaptabilidade: o autocontrole para permitir que uma pessoa se adapte a qualquer combinação de circunstâncias é uma qualificação necessária para uma realização acima da mediocridade.

Se você falhar em conseguir aquilo que deseja, terá sorte se atribuir essa falha a sua própria falta de capacidade de planejar ou a sua própria falta de poder de persuasão. Você terá muita infelicidade se, como o nosso contemporâneo fez na carta diante de nós, culpar pela sua falha a pessoa para quem pediu um favor ou a quem pretendia fazer uma venda.

O editor desta revista está muito mais interessado em adquirir material adequado para suas páginas do que o redator da carta em conseguir emprego, mas ele não se lembra de ter adquirido alguma coisa por meio de coerção, ou, simplesmente, para agradar a alguém que tinha algo para oferecer.

"Tato", disse um homem negro sulista antiquado, "é o que a maioria de nós não tem".

Nenhum homem jamais se tornou vendedor de sucesso sem tato, e nenhum homem chegou muito longe em conquistas mundanas sem uma boa habilidade de vendedor. O amigo que nos escreveu a carta expressando o seu aborrecimento por ter tentado uma vez sem ter a oportunidade de ver o editor pode ser um escritor inteligente, e sua carta indica que ele é – na verdade, um pouco "inteligente" demais –, mas ele não é um *vendedor* inteligente, e, a menos que aprenda a negociar o seu produto, precisará de toneladas de papel e muitos sótãos para guardar os seus manuscritos, pois eles não se venderão sozinhos.

O mesmo vale para outros tipos de serviços pessoais!

Passamos por muitos anos longos, insípidos e, às vezes, cruéis, reunindo, classificando e coordenando fatos e conhecimentos – em resumo, aprendendo alguma coisa. Então, devemos passar por outro período de anos como vendedores, tentando convencer o mundo de que sabemos de alguma coisa. Ai do homem que empreender essa tarefa "convincente" sem a ajuda do tato ou da diplomacia.

Muitos homens estragaram a chance de uma vida despejando muitas verdades de uma vez, ou no momento errado, ou expressando a própria opinião de modo muito arrogante ou muito inconsequente.

Se disséssemos o que sabemos ser a verdade sobre o mundo em geral e alguns de nossos conhecidos em particular, esta não seria mais a revista *Golden Rule,* e estaríamos fazendo inimigos mais rápido do que poderíamos combatê-los.

Embora saibamos que há muitas coisas erradas no mundo, optamos por colocar os holofotes em várias que sabemos serem boas, e essa política parece ter sido válida, pois estamos evoluindo rapidamente e servindo bem.

Se você prestar atenção a cada evento que não lhe agrada, o seu caminho na vida não será tranquilo. Quanto mais você mostra o seu ressentimento, mais as pessoas se deleitam em lhe dar algo para se ressentir.

É um bom plano desenvolver o tato!

O que vale um líder?

O gerente de vendas de uma nova organização foi contratado de um modo que lhe permite ganhar cinquenta mil dólares por ano. Um dos vendedores que trabalham sob a supervisão desse gerente de vendas se opôs porque ele, o vendedor, poderia ganhar apenas a metade dessa quantia.

Sempre houve e sempre haverá uma demanda, com um pagamento de primeira linha, para o homem que pode liderar outras pessoas, e esse homem pode praticamente definir o próprio salário. Ninguém pode detê-lo. Na realidade, é difícil impedir um verdadeiro líder de homens de realizar qualquer tarefa razoável que ele se proponha a fazer.

Os jovens de hoje mostram uma nova atitude em relação
às mulheres e ao casamento, uma atitude de simplicidade
e franqueza, um desejo de confiança mútua,

uma disponibilidade para discutir as dificuldades, um apelo para compreender e ser compreendido.

– HAVELOCK ELLIS

Carnegie tornou-se multimilionário ao selecionar homens com capacidade de liderança e não estabelecer limites para o pagamento deles. Schwab transformou-se em uma das figuras mais poderosas da indústria do aço com a ajuda desse princípio. Talvez o Sr. Schwab pudesse ter contratado os serviços de Eugene Grace (agora presidente da Bethlehem Steel Company) por cinquenta, ou até mesmo 25 mil dólares por ano algum tempo atrás, mas ele preferiu atribuir ao Sr. Grace toda a responsabilidade que ele assumiria e deixá-lo definir os próprios valores que receberia.

Ele é um sábio líder que entende que é uma política ruim reduzir os homens ao menor número possível na contratação de seus serviços. Um plano muito melhor é selecionar aqueles que tenham uma capacidade ainda não desenvolvida em determinada direção e, então, colocar sobre os seus ombros responsabilidade suficiente e lhes proporcionar pagamento suficiente para que eles tragam o melhor que há neles.

Cinquenta mil dólares por ano não é muito pelos serviços de um homem eficiente que pode, de maneira inteligente e satisfatória, direcionar os esforços de cerca de cem homens, ajudando cada um deles a ganhar de cinco a dez vezes mais do que jamais ganhou antes ou poderia ganhar sob a própria liderança.

Como posso vender meus serviços?

O maior mercado do mundo é o de prestação de serviços. Praticamente todo mundo tem serviços para prestar e para colocar à venda.

Recebemos uma carta de um jovem advogado que deseja saber como pode reunir uma clientela sem violar a ética de sua profissão por meio da publicidade.

Este é um trecho da nossa resposta, que pode interessar a você.

"Comecei como advogado há cerca de quatorze anos, portanto sei alguma coisa sobre a situação em que você se encontra.

"Agora, se eu estivesse em seu lugar, iria me tornar um palestrante cativante e faria o meu trabalho tão bem que os jornais seriam obrigados a noticiar sobre ele. Eu descobriria quais assuntos mais interessam às pessoas e me prepararia para falar com autoridade sobre esses assuntos.

"Um palestrante competente sempre impõe respeito e atenção. Os jornais não podem ignorá-lo, mesmo que assim o desejem, e as portas de boas-vindas estão sempre abertas para ele. Essa é uma das maneiras mais eficazes de um profissional se colocar diante das pessoas, e, se ele se valer disso com tato e habilidade, logo encontrará pessoas abrindo caminho até a sua porta."

Acima de tudo, aprenda a ficar de pé e a falar em público. Se o que você disser fizer sentido, logo encontrará uma demanda por serviços, não importa qual seja a sua vocação, maior do que você pode suprir.

Semelhante atrai semelhante!

Na edição de março desta revista, dedicamos nossa página principal a elogiar o Dr. Robert K. Williams, que julgamos merecer tudo o que dissemos sobre ele.

Agora o Dr. Williams "revida" não só nos elogiando; ele vai muito mais longe e realmente nos presta um serviço cujo valor em dólares e em centavos ainda não podemos estimar, mas é muito grande.

Se tivéssemos usado aquela primeira página principal com o propósito de apontar algum ponto fraco do Dr. Williams, ele, provavelmente, teria nos ignorado, mas 99% da humanidade teriam se voltado para nós com um espírito de retaliação.

Dr. Williams também se voltou para nós, mas ele "revidou" na mesma moeda. Normalmente, a maioria dos homens fará isso. Dê um tapa na cara de um homem e, se ele não lhe bater de volta, ali mesmo, ele o fará, de uma forma ou de outra, na primeira oportunidade.

Fale uma boa palavra sobre um homem e, mais cedo ou mais tarde, ele revidará na mesma moeda. Se você entende como a mente humana funciona, pode conseguir que qualquer um faça praticamente qualquer coisa que você tenha o direito de pedir, prestando primeiro a essa pessoa algum favor de natureza apropriada correspondente ao que você procura.

Conhecemos um publicitário que ganha 25 mil dólares ao ano. Ele admite que a maioria das suas ideias e toda a sua inspiração vêm de um homem que ganha apenas dois mil por ano.

Não entender e não aplicar essa lei da mente é privar-se de uma das maiores forças com as quais você pode se aliar. Você pode, de fato, aproveitar a energia nas mentes daqueles com quem entra em contato, desde que faça o movimento *certo* e *primeiro!*

Muitos homens passam pela vida com uma espécie de placa invisível, mas muito percebida, que diz algo parecido com *"me chute com força"*, pendurada em suas costas, pelo motivo de estarem inconscientes e, talvez, não intencionalmente, irritando as outras pessoas e fazendo com que elas revidem.

Afortunado é o homem que tem alguns inimigos, desde que disponha de inteligência para usar os olhos deles e se ver como eles o veem. A visão de um inimigo poder ser, e geralmente é, um tanto distorcida, mas, se você ouvir o que um inimigo tem a dizer sobre você, não há dúvida de que aprenderá algo que o ajudará a melhorar a si mesmo.

A Lei de Talião é muito real!

A revista que você tem em mãos é um exemplo esplêndido do que pode ser realizado por meio da Lei de Talião quando dirigida a fins construtivos e úteis. Por meio destas páginas, dissemos muitas coisas boas sobre diversas pessoas merecedoras e não enviamos nada além de pensamentos positivos e edificantes para inspirar homens e mulheres a obterem melhores resultados com os seus esforços.

Todas essas pessoas que leram o que escrevemos "revidaram", geralmente, despertando o interesse em outras pessoas para que assinem a revista, até que a maior parte dos pedidos de assinatura diários seja voluntária, sem custo.

Vale a pena dizer algo de bom sobre as pessoas; não apenas pela satisfação, que é sempre abundante, mas também pelos dólares. Agradecemos a você, Dr. Williams, pelo serviço que nos prestou e *por aqueles que leram o que tínhamos a dizer sobre você.*

Quem serve é digno de sua contratação

Desde a organização do nosso escritório de palestras, aprendemos, mais uma vez, que quem serve é digno do seu salário.

A maioria dos membros da nossa equipe de palestras vem de duas fontes: do clero e das instituições de ensino.

É um fato bem conhecido que nem as igrejas nem as escolas pagam a seus pastores e professores o suficiente para capacitá-los a adquirir todas as necessidades comuns e rotineiras, muito menos os luxos.

Temos clérigos em nossa equipe de palestras que serviram à igreja por mais de 25 anos. Muitos deles têm filhos e filhas para serem educados, mas o seu salário não tem sido adequado para capacitá-los a dar-lhes as vantagens das melhores escolas.

Não é de surpreender que um clérigo deseje direcionar esforços a caminhos que lhe paguem o suficiente para viver. O instinto de autopreservação está profundamente arraigado, e o homem que serve à igreja não é diferente daquele que serve em outras funções com o objetivo de sustentar adequadamente sua família e, ao mesmo tempo, estabelecer uma competência para o momento em que ele não for mais capaz de servir.

> *A amizade é uma das bênçãos mais puras de Deus para nós... Dividir o coração em dez ou doze porções é muito fácil, muito doce e muito amável.*
>
> – GEORGE SAND

Nosso escritório de palestras atraiu alguns dos melhores homens da área universitária e alguns dos clérigos mais capacitados, o que é, ao mesmo tempo, um elogio ao nosso empreendimento e uma reprimenda àqueles que deveriam pagar aos professores e clérigos um salário suficiente para que cuidem das necessidades deles.

Se o *seu* pastor anunciar, do seu púlpito, no próximo domingo de manhã, que decidiu deixar o serviço da sua igreja e se aliar ao nosso escritório de palestras, você deve repreender a si mesmo e aos seus companheiros clérigos, e não ao seu pastor, porque ele, talvez, esteja movido pelo desejo de servir em uma escala mais ampla e, ao mesmo tempo, prover mais, de modo generoso, para sua família.

Se você deseja manter os seus clérigos e professores, o primeiro passo é pagar-lhes o que valem, ou, pelo menos, algo próximo ao valor que eles poderiam ganhar em outras áreas de atuação. Se você não fizer isso, com certeza perderá o serviço deles mais cedo ou mais tarde.

Esse mesmo princípio talvez se aplique de maneira igualmente apropriada ao campo dos negócios e da indústria. Se uma empresa de negócios tem um funcionário excepcionalmente eficiente, seja ele um executivo capacitado ou um trabalhador diarista, deve ser atribuição de alguém providenciar para que esse funcionário seja pago proporcionalmente à sua capacidade de produzir resultados.

Homens do tipo idealista, como a maioria dos clérigos, servirão sem pensar em compensação por algum tempo, mas a pressão econômica, o crescimento das famílias e o aumento do custo de vida combinam-se entre si para forçá-los, finalmente, a recorrer a áreas mais lucrativas.

Quem serve é digno de sua contratação. Dê a ele um bom salário antes que o seu concorrente o faça.

3

Liderança

Este é o editorial mais curto que já escrevemos, mas contém uma das maiores ideias que já tivemos: antes de você OBTER aquilo que chama de sucesso, deve DAR algo de igual valor em troca. Considere como coisa certa aquilo que você dá ao mundo, seja um serviço eficiente ou um serviço ruim, mau humor ou um bom ânimo. Se você entender esse ponto de vista e utilizá-lo de maneira adequada, terá sucesso no próximo ano como nunca experimentou antes.

Em uma grande cidade, o prédio de uma grande fábrica pegou fogo. Centenas de moças, trabalhando nos andares superiores, corriam risco de vida. Todo o andar de baixo estava em chamas, e as chamas subiam pelas escadas de incêndio, cortando todas as rotas de fuga.

A multidão ficou do lado de fora esperando os bombeiros chegarem!

Naquela multidão estava um jovem diferente de todos os outros. Ele percebeu a situação, mediu apressadamente com os olhos a distância do prédio em chamas para o prédio do outro lado do beco, então, como se estivesse no comando total da situação, começou a dar ordens aos transeuntes e, em poucos minutos, tinha reunido um grupo de seis homens fortes.

Tomou a frente, e eles o seguiram até o topo do prédio vizinho. Em seu caminho, pegou uma corda, e os seus seis seguidores derrubaram uma placa de avisos e carregaram as tábuas para o topo do outro prédio.

Esse líder autoproclamado jogou uma ponta da corda para uma mulher na janela do prédio em chamas e a instruiu a amarrá-la. Ele escalou a corda, carregando uma ponta de uma tábua consigo. Os seus seis ajudantes empurraram as tábuas que haviam carregado e logo concluíram uma ponte muito firme de um edifício ao outro.

Quando os bombeiros chegaram, quase um terço dos ocupantes do prédio em chamas estava fora de perigo!

Ninguém convidou esse jovem para se tornar líder!

Liderança é algo que raramente vem por convite. É algo para o qual você deve se convidar. Em todos os negócios, há uma ótima oportunidade para um líder de primeira. No entanto, ele deve ser um homem disposto a fazer o que deve ser feito sem que alguém lhe diga.

Um dos homens que estavam no meio daquela pequena multidão de pessoas observando as chamas enquanto elas ameaçavam as mulheres no prédio, ao falar do incidente depois do ocorrido, disse: "Ah, isso não foi nada; qualquer um poderia ter feito isso se tentasse!".

E ele estava certo! Qualquer um poderia ter desempenhado aquele glorioso trabalho como líder, simplesmente avançando e pegando a responsabilidade para si, mas o fato é que *apenas um* homem em toda a multidão viu a oportunidade e estava disposto *a correr o risco* que veio com ela.

Liderança significa responsabilidades, é verdade, mas o trabalho mais proveitoso geralmente é aquele que coloca a maior responsabilidade sobre um homem.

Onde quer que haja trabalho a ser feito, você pode encontrar uma chance de se tornar líder. Pode ser uma liderança humilde no início, mas ela se torna um hábito, e logo o líder mais humilde se torna um homem de ação poderoso e, então é procurado para uma liderança maior.

Observe o passado, e a História lhe dirá que a liderança foi a qualidade que conferiu grandeza aos homens.

Washington, Lincoln, Patrick Henry, Foch, Roosevelt, Dewey, Haig e Woodrow Wilson – todos líderes!

Nós devemos SER antes de podermos FAZER, e só podemos fazer à medida que SOMOS, e o que SOMOS depende do que PENSAMOS.

Nenhum deles foi convidado a se tornar líder. Eles assumiram a liderança por meio de sua própria agressividade. Nenhum deles começou no topo. A maioria começou com aptidão mais humilde, mas desenvolveu o hábito de fazer o que precisava ser feito, *fosse o seu trabalho fazê-lo ou não; fossem pagos para isso ou não!*

Se você está no grupo da grande maioria que decidiu não fazer nada que não seja o seu trabalho e pelo qual não seja pago, não há esperança de que a liderança possa coroar seus esforços.

Frank A. Vanderlip era estenógrafo há poucos anos. Não sabemos ao certo, mas suspeitamos que ele não limitou seus esforços ao trabalho que sua posição estenográfica exigia, pois, se o tivesse feito, nunca teria se tornado o líder financeiro que é hoje.

James J. Hill era operador de telégrafo, mas, se tivesse insistido em trabalhar apenas no horário comercial e não tivesse prestado mais serviços do que o necessário para ocupar o cargo de telegrafista, nunca teria sido o grande construtor de ferrovias que foi.

Liderança! Que privilégio maravilhoso ser um líder! Que oportunidade maravilhosa existe em cada loja, fábrica, supermercado, quitanda na esquina e outros estabelecimentos comerciais para se tornar líder simplesmente fazendo o que deveria ser feito, quer peçam a você para fazer ou não.

21

O poder da visão futura

Certa vez, este escritor foi às montanhas colher castanhas. Levamos um balde para trazê-las.

Antes de começar, tínhamos "visualizado" um balde de castanhas; tínhamos nos preparado para trazer de volta um balde e nada mais.

Quando chegamos às montanhas, encontramos alqueires de castanhas no chão, mas tivemos que sair e deixá-las lá porque não havíamos pensado em grandes quantidades quando planejamos o passeio.

Muitas vezes pensamos naquele passeio de caça às castanhas nos anos que se seguiram.

Poderíamos ter trazido uma enorme quantidade de castanhas com a mesma facilidade com que trouxemos o balde cheio se tivéssemos ampliado a nossa *"visão"* antes de iniciarmos o passeio.

Cada vez que vemos uma pessoa iniciando um novo empreendimento, pensamos naquele passeio de caça às castanhas, porque sabemos que a maioria das pessoas está cometendo o mesmo erro que cometemos ao não pensar com uma visão ampla o suficiente.

Ao planejar nosso objetivo principal nos anos passados, podemos ver claramente, agora, que nunca alcançamos mais do que pretendíamos. Duvidamos se teria sido possível realizar mais do que começamos a realizar.

Trabalhadores felizes e satisfeitos geralmente são um mero reflexo da disposição do líder dos trabalhos.

De vez em quando, uma pessoa incomumente ambiciosa leva consigo mais vasilhas, quando começa a "catar castanhas", do que será necessário, mas geralmente o inverso é verdadeiro. É o mesmo no planejamento de uma carreira profissional, ou na criação de um negócio, ou no desenvolvimento de instrução.

Você pode realizar menos do que visualizou em seus planos, mas *nunca* realizará mais! Você nunca venderá mais produtos do que planejou vender; nunca se tornará mais famoso em qualquer profissão do que planeja se tornar; nunca ocupará um lugar mais elevado na estima dos seus semelhantes do que pretende ocupar; portanto, parece valer a pena ampliar a visão de vez em quando, para que abranja mais espaço.

Não é provável, ao iniciar qualquer negócio ou profissão, que você veja todas as possibilidades à sua frente ao traçar os seus primeiros planos, mas, com o passar do tempo, você será capaz de ampliar a sua visão e fazer com que os seus objetivos sejam mais abrangentes.

Esse poder de visão ampliada é algo que você deve estimular.

O poder da visão futura é o único neste mundo que ajudará uma pessoa a sair da rotina da mediocridade em qualquer caminhada de vida.

Que os deuses do destino ajudem a pessoa que carece desse poder de visão futura porque não o estimulou nem encorajou seu crescimento e seu desenvolvimento.

O homem ou a mulher que não expande periodicamente a sua visão para que abranja um campo maior, absorva em maior quantidade, faça ele ou ela pensar em termos ampliados, pode ser comparado (a) a um cavalo que foi arreado e atrelado para prestar serviço de tração. Uma razão pela qual esse cavalo nunca tenta se desvencilhar do seu infeliz destino é a sua falta de visão futura e ampliada. Ele aceita o seu destino com complacência, nunca imaginando que nenhum homem neste mundo poderia dominá-lo se ele pudesse pensar e planejar como se livrar do arreio.

Há várias pessoas neste mundo – muitos milhões ao todo, suspeitamos – atreladas e amarradas a um trabalho mediano, deprimente e exaustivo, que meramente proporciona uma existência, por nenhuma outra razão que a falta de *visão futura!*

Se isso for verdade, ou mesmo se estiver próximo da verdade, que constatação horrível da culpa do nosso sistema de educação de homens e mulheres. Se o simples processo de ampliar a visão de uma pessoa para que ela almeje maiores realizações é realmente algo de valor, que pena que esse processo não seja colocado com mais clareza em todas as instituições de ensino do mundo.

Este escritor pode estar dando muita ênfase a esse assunto; ele pode estar atribuindo a isso um lugar muito importante na lista de qualidades que se deve ter a fim de desfrutar do sucesso neste mundo, mas ele tem uma forte razão para os seus pontos de vista sobre o assunto.

Por 22 anos, desde que fui lançado sob a minha própria responsabilidade no mundo, tenho observado com interesse incomum aquelas experiências que mais me ajudaram a adquirir o necessário na vida, e sou obrigado a concluir que a capacidade de ampliar a visão, e esperar mais de si mesmo, é uma qualidade não apenas *desejável*, mas também *necessária!*

Você pode nunca ter ouvido falar do incidente que foi diretamente responsável por eu ser capaz de sair do trabalho sujo e nada lucrativo em uma mina de carvão, mas, se tiver, será paciente se eu repetir para o benefício daqueles que nunca escutaram essa história.

Esse incidente aconteceu há cerca de 22 anos!

Nenhum incidente em toda a minha vida foi de benefício mais duradouro do que esse, porque me proporcionou o ponto de partida para essa ideia a respeito do poder da *visão futura!*

Certa noite, estava sentado diante do fogo, após o fim do árduo dia de trabalho, falando sobre meu novo emprego esplêndido que pagava um dólar por dia!

Fiquei orgulhoso desse trabalho!

Um dólar por dia para um menino da minha idade era muito dinheiro; mais, na verdade, do que jamais havia visto antes, do que poderia chamar de meu.

Em meu entusiasmo e exuberância juvenis, disse algo que impressionou o velho cavalheiro com quem conversava. Ele estendeu a mão, segurou-me com firmeza pelo ombro, agarrou-o com tanta força que quase gritei de dor, olhou-me diretamente nos olhos e disse: "Ora, você é um menino brilhante! Se fosse para a escola e se instruísse, *deixaria a sua marca no mundo!*".

Foi a primeira vez na vida que alguém me disse que eu era "brilhante" ou que poderia "deixar a minha marca no mundo". Até então, nunca havia pensado em valores superiores a 2,50 dólares por dia. Estava recebendo um dólar por dia pelo trabalho, mas aspirava receber o mesmo que alguns homens mais velhos; meu limite de "visão futura" na época era de 2,50 dólares por dia em salário, sem nunca pensar em ser outra coisa, exceto um trabalhador em uma mina de carvão.

Aquela observação daquele bom e velho cavalheiro me deu um choque!

Não prestei atenção a ela no início, mas comecei a pensar sobre isso naquela noite depois que me retirei; relembrei minhas experiências em nossa mente. Lembrei-me do brilho nos olhos do velho quando ele fez essa observação. Havia algo em toda a sua ação e comportamento que me fez entender que ele não estava falando de coisas impossíveis.

Controlar o pensamento é o segredo de todo progresso neste mundo, e esse poder é SEU, se você o exercitar.

Essa observação me fez ampliar a visão para que pudesse ver além da mina de carvão em que trabalhava. Isso me fez começar a olhar para além dos limites da vila em que nós, mineiros de carvão, estávamos localizados, para outra vila onde havia uma escola. No entanto, o mais importante de tudo, plantou em minha mente algo que criou raízes e passou a crescer, sementes que colhi e transplantei para outras mentes em muitos milhares de casos, desde aquela noite memorável, há 22 anos.

Este editorial, e a revista que você tem em mãos, podem remontar diretamente àquela conversa de dois minutos durante a qual tive minha primeira impressão sobre o poder da visão futura.

Se a sua sorte na vida é insatisfatória, como sem dúvida é, você será bem recompensado pelo tempo que dedicou à leitura deste editorial se for direto ao seu rosto e desenhar outro círculo muito maior que irá representar a sua *visão futura!* Deixe que esse círculo ocupe mais espaço do que qualquer outro que você já desenhou. Deixe-o cobrir a posição ou o momento que você procura na vida. Lembre-se de que as suas possibilidades de realização estão estritamente limitadas aos domínios daquela linha divisória que pode ser chamada de sua linha de visão.

Quando uma indústria moderna supera suas instalações, os seus alojamentos, a administração, se for séria e voltada para o futuro, imediatamente busca mais espaço e amplia as instalações.

Você deve fazer o mesmo com relação aos seus esforços pessoais se quiser superar aquela posição indesejável na vida na qual você se encontra.

Sentir-se insatisfeito com a sua sorte na vida é um sinal normal e saudável; mas permanecer onde está, sem nenhuma tentativa de ampliar sua visão ou planejar maneiras e meios de levá-lo a opções mais amplas, é anormal e indica uma condição mental doentia.

Um dos principais objetivos desta revista é fazer com que os seus leitores pensem em termos mais abrangentes, mais amplos, e com a visão voltada para o futuro. Não há nada que possamos fazer que seja benéfico para você, exceto ajudá-lo a fazer por *si mesmo!*

Vá para um lugar tranquilo!

Sente-se por alguns minutos e faça um inventário de si mesmo. Descubra se está ou não adquirindo mais conhecimento, desenvolvendo mais autoconfiança, ampliando o seu círculo de visão, definindo tarefas mais pesadas para si mesmo; esperando mais de si mesmo agora do que há um ano. Se não estiver, aqui há um espaço para atenção.

Uma das razões pelas quais o fracasso é uma bênção é que muitas vezes nos faz parar, olhar e *raciocinar!* Muitas vezes ele nos faz descobrir alguma fraqueza ou deficiência que nunca suspeitávamos ter.

Este escritor é particularmente grato pelos erros que cometeu nos últimos 22 anos e por seus fracassos em muitos empreendimentos, que, se tivessem sido bem-sucedidos, teriam direcionado os seus esforços para um trabalho que poderia ter sido menos proveitoso para a posteridade do que o trabalho que está realizando agora.

Muitos dos meus erros causaram sofrimento passageiro aos outros, e todos eles causaram sofrimento *imediato* em nós, mas esses erros e falhas foram proveitosos, porque cada um deles me fez escalar para fora dos escombros do próprio fracasso com uma visão futura mais ampla do que a que tinha antes.

Os incêndios, geralmente, são destrutivos, mas é um fato bem conhecido que é necessário um incêndio de primeira para dar a muitas cidades o seu primeiro impulso para o crescimento real. O fogo vem e queima os edifícios velhos e desgastados pelo tempo. Isso prejudica muitos; alguns não têm seguro, e outros, menos do que deveriam ter, mas, como um todo, o incêndio é uma bênção, pois os proprietários substituem os prédios antigos por outros mais novos e modernos, que agregam ao aspecto da cidade e dão valor às propriedades.

Muitos homens precisam do efeito reacionário de algum tipo de "fogo" de fracasso que vai varrer os planos antigos, desgastados pelo tempo e inadequados, que os têm prendido, e lhes dará a chance de ampliar a sua visão e construir novos planos mais voltados para o futuro com um escopo mais amplo.

Certa tarde este escritor estava sentado em seu escritório, em Dallas, Texas, há algum tempo. Ele olhou para o corredor e viu um jovem de aparência muito agradável vindo em sua direção, com o portfólio de um vendedor nas mãos. Ele foi parado no balcão de informações, mas o escritor pediu que o mandassem entrar.

Quando ele estava sentado dentro do meu escritório, eu lhe disse: "Não sei o que você está vendendo, e seja o que for, provavelmente não serei o comprador, mas há uma coisa em você que é valiosa; você tem uma personalidade agradável".

O jovem me agradeceu e me informou que estava vendendo aquecedores elétricos para os pés pela Dallas Electric Light Company. Eu disse a ele que não precisava de aquecedores de pés, pois raramente tinha "pés frios", mas sugeri que ele deveria comercializar algo que lhe desse um lucro maior em cada venda. Sugeri que, com uma personalidade como a dele, com a autoconfiança que apresentava, ele deveria ser capaz de vender tudo o que tentasse.

Esse jovem não ficou mais do que cinco minutos em meu escritório, mas durante esses poucos minutos algo aconteceu que fará uma grande diferença para ele por toda a vida. Ele me agradeceu pelo elogio e foi embora.

Cerca de três semanas depois, o gerente de departamento de serviços elétricos da Dallas Electric Light Company veio me ver. Ele me informou que eu tinha sido a causa da perda de um dos seus melhores homens, e quando perguntei como isso aconteceu, ele disse que o jovem que mencionei, cujo nome era Brown, voltara imediatamente ao escritório naquele mesmo dia, devolvera o seu kit de vendas, saíra e arrumara um emprego que lhe rendeu muito mais dinheiro e estava se saindo muito bem naquela nova ocupação.

Eu disse ao meu visitante que lamentava ter sido a causa de sua perda de um bom homem, mas estava orgulhoso de que o Sr. Brown tivesse aprendido o valor da "visão futura".

O Sr. Stuart Austin Wier, de Dallas, estava sentado em meu escritório na hora e ouviu a conversa. Depois que o meu visitante foi embora, o Sr. Wier se virou para mim e perguntou:

"Que tipo de injeção você aplicou no braço de Brown?"

E respondi: "O mesmo tipo de injeção que eu gostaria de ter a oportunidade de aplicar no braço de cada pessoa no mundo cuja sorte na vida não é boa, que é infeliz e que está acorrentada a um trabalho desagradável e nada lucrativo".

O Grupo MasterMind – Treinamentos de Alta Performance é a única empresa autorizada pela Fundação Napoleon Hill a usar sua metodologia em cursos, palestras, seminários e treinamentos no Brasil e demais países de língua portuguesa.

Mais informações:
www.mastermind.com.br

Livros para mudar o mundo. O seu mundo.

Para conhecer os nossos próximos lançamentos
e títulos disponíveis, acesse:

www.**citadel**.com.br

/citadeleditora

@citadeleditora

@citadeleditora

Citadel – Grupo Editorial

Para mais informações ou dúvidas sobre a obra,
entre em contato conosco por e-mail: